Un souffle venu de loin

De la même auteure

ROMANS
Les enfants de l'été, Sudbury, Éditions Prise de parole, 2004, prix
    Émile-Ollivier.
La vie empruntée, Sudbury, Éditions Prise de parole, 1998.
Les mémoires de Christine Marshall, Sudbury, Éditions Prise de parole,
    1995.

NOUVELLES
«Tango» et «Couvre-feu» dans *Rendez-vous, place de l'Horloge,* collec-
    tif de nouvelles, Sudbury, Éditions Prise de parole, 1993.

Estelle Beauchamp

Un souffle venu de loin

Roman

Éditions Prise de parole
Sudbury 2010

Catalogage avant publication de Bibliothèque et Archives Canada
Beauchamp, Estelle
    Un souffle venu de loin / Estelle Beauchamp.
ISBN 978-2-89423-249-1
    I. Titre.
PS8553.E1695S68 2010   C843'.54   C2010-904626-9

Distribution au Québec: Diffusion Prologue • 1650, boul. Lionel-Bertrand • Boisbriand (QC) J7H 1N7 • 450-434-0306

Ancrées dans le Nouvel-Ontario, les Éditions Prise de parole appuient les auteurs et les créateurs d'expression et de culture françaises au Canada, en privilégiant des œuvres de facture contemporaine.

La maison d'édition remercie le Conseil des Arts de l'Ontario, le Conseil des Arts du Canada, le Patrimoine canadien (programme Développement des communautés de langue officielle et Fonds du livre du Canada) et la Ville du Grand Sudbury de leur appui financier.

ONTARIO ARTS COUNCIL
CONSEIL DES ARTS DE L'ONTARIO

Conseil des Arts
du Canada

Canada Council
for the Arts

Patrimoine
canadien

Canadian
Heritage

Sudbury

Œuvre en page de couverture: Félicia Monette, *Libération*, linogravure, 2007.
Conception de la page de couverture: Olivier Lasser

ISBN 978-2-89423-249-1

À la mémoire de mes parents,
dont le projet irréalisé renaît dans l'imaginaire

*Il pensait à cette impression qu'il avait maintes fois éprouvée
d'avoir en la poitrine un immense oiseau captif – d'être lui-même
cet oiseau prisonnier – et, parfois, alors qu'il peignait la lumière
ou l'eau courante, ou quelque image de liberté, le captif en lui,
pour quelques instants s'évadait, volait un peu de ses ailes. Songeur,
à demi étendu sur la mousse, Pierre entrevoyait que sans doute
tout homme avait en sa poitrine pareil oiseau retenu qui le faisait
souffrir. Mais, lorsque lui-même se libérait, pensait Pierre, est-ce
que du même coup il ne libérait pas aussi d'autres hommes, leur
pensée enchaînée, leur esprit souffrant?*

Gabrielle Roy
La montagne secrète

1990-1991

Au téléphone Clara m'avait dit : « Venez tout de suite. Voudrais-tu avertir Sophie ? » Le temps de donner
un coup de fil à ma fille, Robert avait fait démarrer la
voiture. En route pour l'hôpital, balayant mes doutes
sur Son existence, je priais Dieu en silence. « Seigneur,
Seigneur, faites que j'arrive à temps, que je voie encore une fois son regard, qu'elle sente encore une fois
la pression de ma main, une fois seulement ! » Mais ce
pauvre Dieu était bien impuissant à faire dévier le cours
du monde qu'Il avait mis en mouvement. La circulation n'est pas devenue miraculeusement fluide, les feux
rouges ne sont pas passés au vert, le parc de stationne-
ment affichait complet. Robert m'a déposée à la porte
de l'hôpital, j'ai couru jusqu'à la chambre. Clara était
seule auprès de sa mère. Elle m'a serrée dans ses bras :
« Elle vient juste de mourir. Je lui disais que tu serais
là bientôt, elle a cligné des yeux. C'est ton nom qu'elle
a entendu au dernier moment.
— Mon nom et ta voix. »
Robert est arrivé peu après, suivi de Sophie. Enfin
Martin est apparu ; il tenait la main de Liane, qui a

demandé si sa grand-maman dormait. Nous avons formé une couronne autour de Mirka: son compagnon Martin, sa fille Clara et la petite Liane, sa nièce Sophie, Robert et moi, Marion, la sœur que les aléas de son enfance lui avait donnée. On n'entendait que nos sanglots. Par moments l'un de nous tendait la main vers elle, la touchait avant que l'hiver éternel s'empare de son corps.

En entrant dans la chambre, j'avais ressenti le coup au cœur habituel. Il m'avait fallu deux secondes pour me rappeler que cette femme boursouflée, aux cheveux gris et rares, était bien ma sœur. À l'approche de sa mort, le processus par lequel la mémoire de nos aimés se transforme peu à peu faisait déjà son chemin, effaçait les dernières images. Lorsque je pensais à elle — et ces derniers temps elle était rarement loin de mes pensées —, je la voyais telle qu'elle était il y avait… oh! si peu de temps: forte, vive, le pas sûr, les cheveux noirs aussi rebelles que dans son enfance, la peau dorée, le rire rare mais contagieux.

Si je me rappelle avec acuité notre course à l'hôpital et le choc (pourtant attendu) de la mort de Mirka, la suite demeure nébuleuse. Je suppose que nous avons fini par bouger comme si nous sortions d'un long sommeil, que nous avons quitté à reculons ce corps aimé dépouillé de son esprit. Clara a suggéré: «Allons à la maison, je vais dégeler un bœuf en daube.» «À la maison», c'est-à-dire chez sa mère. Personne n'avait faim, mais les rituels pacifient. Clara et moi avons sorti les chaudrons. Je me demande si le va-et-vient dans la cuisine, le tintement familier du fouet contre le bol à vinaigrette, ont donné à Martin l'éphémère illusion que Mirka était encore parmi nous, qu'elle s'écrierait bientôt en riant: «Zut! J'oubliais la moutarde!» Ce jour-là, Martin, compagnon des dernières tribulations de Mirka, s'était offert à garder la petite Liane afin que Clara demeure auprès de sa mère. Ainsi subissait-il comme moi la double blessure d'avoir perdu Mirka et de n'avoir pas cueilli son dernier regard.

Par moments, on aurait dit un souper du dimanche. Sophie amusait la petite, Robert a félicité Clara pour le bœuf en daube, Martin a ouvert une bouteille de vin. Mais au moment de lever nos verres, Clara a éclaté en sanglots: «C'est bête, bête, bête, c'est trop bête à la fin! Pourquoi? À cinquante-sept ans! C'est injuste! C'est la preuve que le monde est mal fait!» Ses paroles m'ont rappelé les révoltes de sa mère. À travers mes larmes j'ai souri à Robert. Il m'a serré la main. Tant de souvenirs nous liaient à elle!

En rentrant chez nous, j'ai pris conscience qu'une vie sans Mirka s'étendait devant moi. Ce n'était pas la première fois qu'elle nous quittait. Cette fois, la fugue était définitive. J'ai pensé que si elle n'avait jamais été déposée pour ainsi dire à notre porte, «comme un petit oiseau» avait dit maman, je n'aurais pas si mal. Je ne pouvais nier que, par moments dans le passé, j'avais souhaité ne l'avoir jamais connue. Maintenant j'avais la sensation qu'une part de moi, une part de ce que faute de mieux j'appellerai mon âme, s'était détachée.

❖

Il y aura bientôt un an que Mirka nous manque. Ce jour-là, je téléphonerai à Clara: «Comment vas-tu?»

Elle répondra peut-être : « Oh, tante Marion, c'est difficile » ou simplement, « Ça va… Liane a reçu un bulletin de la maternelle, figure-toi ! J'ai plein de boulot, Jean-Noël est à Stockholm… » L'an dernier aussi, son mari était en voyage d'affaires, à Mexico. Il était revenu bronzé trois jours après les funérailles. Je me demande si le soleil de minuit aura le même effet.

Quel remous crée la mort ? L'hiver a été long, ni plus ni moins que chaque année, les lilas ont embaumé au printemps, les dernières roses s'attardent, nous avons mangé au jardin tout l'été, heureux d'accueillir souvent nos enfants, Clara et sa petite Liane, son mari Jean-Noël quand il n'est pas en voyage. Là où nous étions une dizaine, nous ne sommes plus que sept ou huit, les places se sont espacées autour de la table. Nous avons perdu Martin. Pendant plusieurs mois, incapable de se libérer du vide que sa compagne avait laissé, il a été tellement déprimé, coupé de la réalité, que Clara hésitait à lui confier sa fille pour faire une promenade ou aller au parc, comme au temps de Mirka alors qu'il veillait si bien sur Liane tout en l'amusant. Et puis, un beau matin, « papy chéri » a regardé par la fenêtre, s'est aventuré dans la rue, a croisé une voisine avenante et engagé la conversation. Martin fait partie des hommes qui, pour entrer dans le tourbillon de la vie, ont besoin d'une femme qui les entraîne. Il l'a trouvée, Mirka dirait que c'est bien comme ça et nous nous réjouissons pour lui, mais nos relations se sont doucement éteintes.

Robert et moi parlons rarement de Mirka, mais, sans le dire, nous sommes conscients du vide qu'elle a laissé. Si, prise par mes activités, il m'arrive de ne pas penser à elle, ce n'est jamais pour très longtemps. Un rien évoque le passé: le ronron d'un avion, un air de violon, un couple à moto. Les récits de guerre, c'est-à-dire, pour ceux de ma génération, celle de 39-45, la Seconde. C'est à cause de cette guerre que, par un jour d'été de l'année 1940, ma courte vie a connu un tournant irréversible. Ce jour-là Mirka est venue vers nous, tête basse, le long d'un quai de gare, et a bousculé la tiède existence d'un triangle heureux: papa, maman et moi.

I
1940

«Elle a pas l'air belge. Je les pensais plutôt blonds.»

Maman chuchotait. Papa sourit.

«Eh bien! Ça nous fera une brunette. Comme toi.

— Pas mal plus que moi! Quasiment noiraude!
Elle semble farouche. Ça se comprend.

— Son prénom sonne pas belge non plus.»

L'enfant revenait vers nous. Elle avait craint d'avoir
oublié un sac et avait voulu retourner à son wagon.
Elle n'avait pas grand-chose; ses effets étaient répartis
dans de pauvres paquets qu'elle avait peine à tenir dans
ses mains. Papa s'est précipité pour les prendre. Elle a
hésité à les abandonner. Elle a fini par se laisser faire,
mais elle a conservé auprès d'elle un vieux sac de cuir.
Jusqu'au moment de dormir. Même là, j'ai dû la rassu-
rer. «Mets-le à côté, personne va y toucher.»

Du lit voisin, j'entendais sa respiration. Je soupçonnais qu'elle était aussi éveillée que moi. Toute la
journée, derrière son silence, son visage penché, j'avais
senti trembler son corps: ses muscles, ses nerfs, tout
son être caché que seuls les éclairs de ses yeux sombres

trahissaient. Moi aussi je tremblais derrière ma façade d'enfant sage et gentille. Lorsque je demandais si elle avait fait bon voyage (question absurde, mais je n'avais que ce cliché comme référence), si elle désirait m'accompagner chez le marchand de crème glacée, j'imitais mes parents qui débordaient du désir de faciliter l'arrivée de celle qu'ils considéraient comme une deuxième enfant. Mais j'étais terrifiée. Sûrement moins qu'elle. Car moi j'avais une maison, enfin un logis, un lit à moi, une chambre jusqu'ici à moi que j'étais prête à partager, des parents qui accourraient au moindre malheur. Tandis que Mirka, avec ses petits paquets et le sac de cuir qu'elle tenait contre son cœur… et peut-être, dans le sac, une adresse lointaine, une bouée qui ne l'avait pas sauvée. J'étais terrifiée, car déjà j'étais accablée du désir de lui plaire, du désir de renverser le cours du temps et des épreuves qu'elle avait subies, de la rendre heureuse. À huit ans, j'assumais la responsabilité du bonheur de Mirka. Et comme je ne révélais cette ambition à personne — d'ailleurs en étais-je assez consciente pour la révéler? —, il ne s'est trouvé personne pour me mettre en garde.

La journée m'avait déçue. Je m'étais imaginé une scène digne de la comtesse de Ségur : la petite fille modèle accueillant une malheureuse enfant venue de loin, une petite fille (modèle aussi) quelque peu intimidée, mais vite conquise par la bienveillance souriante des parents, par l'affection d'une sœur qui partagerait ses jouets et l'emmènerait au terrain de jeux. Enfin! j'avais une sœur! Une compagne avec qui je me balancerais sur le *see-saw* du parc au lieu d'être à la traîne des rares enfants du quartier, à qui je servirais un « thé » à l'eau sucrée dans mon joli service de porcelaine, une invitée bien plus divertissante que mes poupées. Quelques mois plus tôt, des amis de mes parents, occupés par un déménagement, nous avaient confié leur fille pendant quelques jours. Je gardais un merveilleux souvenir de cette semaine passée auprès de Madeleine, de nos projets, des jeux que nous inventions en riant. Et voici que j'aurais à mes côté une Madeleine éternelle. J'avais entendu dire que les frères et sœurs se chamaillaient, mais ces disputes me paraissaient lointaines. Ça se passait à la radio, dans des émissions enfantines comme *La marmaille*, dans laquelle une famille accueillait, comme nous, des enfants venus de pays en guerre. Des conflits anodins surgissaient, vite réglés; il fallait bien soutenir l'intérêt des auditeurs. Chez nous nulle marmaille, il n'y avait que moi et ma bonne volonté, et ma nouvelle sœur, qui serait polie comme les petites Françaises de mes livres de contes, et reconnaissante de se retrouver dans une famille.

Mais Mirka avait retiré sa main de la mienne, elle avait détourné la tête lorsque maman s'était penchée pour l'embrasser. Elle répondait par monosyllabes à mes parents, qui cachaient leur nervosité par une myriade de questions. Était-elle confortable? Oui. Avait-elle faim? Soif? Non. Buvait-elle du lait au repas? Non. Mais elle avait tendu son verre. «Qu'est-ce que c'est?» avait-elle demandé quand maman avait servi des demi-pamplemousses saupoudrés de cassonade et passés sous le gril, délice habituellement réservé au jour de l'An. Elle avait refusé d'y goûter. Mais elle avait mangé avec appétit le rôti de bœuf et les patates pilées, qu'elle appelait des pommes purée.

«Des pommes? m'étais-je écriée, mais c'est des patates!

— Dans son pays, on dit des "pommes de terre", c'est le mot juste, intervint papa en se tournant vers elle, c'est bien ça?

— Oui, oui, des pommes.»

Elle avait répondu avec brusquerie. À sa place, j'aurais manifesté plus de bonne volonté. J'aurais dit «Ah bon! Alors des patates, c'est la même chose.»

Tôt dans la soirée maman lui proposa de prendre un bain.

«As-tu un vêtement pour la nuit? Aimerais-tu porter un pyjama neuf? J'étais pas sûre de la taille, mais j'ai supposé qu'à sept ans, tu serais plus petite que Marion.»

Elle tendit un pyjama bleu clair avec des motifs de chatons et le tint devant Mirka: «Ça devrait aller.»

Mirka le prit et sourit. Une ébauche de sourire. Le deuxième de la journée. Le premier, c'était au moment de choisir l'essence de la crème glacée, qu'elle appelait, je ne savais trop pourquoi, «une glace». Elle avait hésité, puis opté pour le chocolat.

✢

Trois enfants égarés dans un labyrinthe, tels nous étions, mes parents et moi, chacun entre ses murs, nous appelant d'un corridor à l'autre sans élever la voix. Inutile d'éveiller la belle endormie! Nous cherchions le fil qui nous mènerait vers l'issue lumineuse, la récompense désirée: l'affection de Mirka. Les jours qui suivirent ressemblèrent au premier. Mirka ne nous comprenait pas toujours, nous étions séparés par la même langue. Je me mis en tête de parler avec «l'accent français», mais peu importait. Papa me mit en garde: «Tu dois bien prononcer, apprendre à utiliser le mot juste, c'est un conseil qui s'applique en tout temps. Mais laisse tomber l'accent artificiel, tu vas faire rire de toi.» Pourtant maman et lui s'efforçaient de s'exprimer plus distinctement qu'à l'habitude.

Ils avaient répondu par un élan de générosité aux appels en faveur d'enfants évacués loin des bombardements de Londres, confiés par leurs familles à l'organisme CORB[1]. Or, parmi les petits Anglais emmenés au Canada il s'était glissé quelques enfants originaires de France ou de Belgique wallonne, des enfants ballottés par les événements, pour lesquels on cherchait des foyers d'accueil parlant français. Mes parents en avaient discuté, pesé le contre (leurs revenus modestes, les possibles difficultés d'adaptation de part et d'autre) et choisi le pour. Il y avait peu d'enfants dans notre voisinage. Notre quartier du centre-ville comprenait plus de commerces et de personnes seules que de familles. L'appartement que nous habitions était petit, mais j'avais une belle chambre, il y avait place pour un autre lit et des jouets. J'aurais une compagne. Ils s'apercevaient que je m'ennuyais. Ils auraient souhaité avoir un autre enfant, mais deux fausses couches suivies d'une opération avaient mis fin à cet espoir. Ils entrevoyaient une famille de quatre, comme celle de ma tante chez qui j'avais tant de plaisir à jouer avec mes cousines. J'avais réagi au projet avec

1 CORB: Children's Overseas Reception Board

enthousiasme. Mais en fin de compte, leur décision fut moins motivée par la raison que par l'émotion. Ils étaient touchés par les récits que l'on entendait à la radio, par le sort de ces enfants qui avaient vécu des événements tristes ou terribles, qui se trouvaient séparés de leurs parents, à la merci des aléas de l'exil, qui, pendant la durée de la guerre, pourraient trouver une existence choyée dans une famille aimante. Là-dessus leur accord était total.

On était en juillet, Mirka m'accompagnait au parc, préférait la balançoire individuelle au *see-saw*. Je la poussais volontiers, n'osais lui demander la pareille. Dans mon esprit, elle avait tant souffert (souffrance que je n'arrivais pas à imaginer) que je me devais de la servir. Aux trapèzes, elle était bien plus agile que moi. Suspendue par les genoux, par les pieds (là, je criais «fais attention»), inventant des mouvements plus audacieux les uns que les autres, elle paraissait oublier mon existence, l'entourage, le présent qu'elle traversait sans l'avoir choisi. J'enviais sa souplesse et son audace. Nous nous mêlions rarement aux autres enfants. Mes parents étaient installés dans ce quartier depuis peu, je n'avais pas eu le temps de lier d'amitiés. Ma timidité m'avait tenue à l'écart. Quant à Mirka, qui depuis son arrivée affrontait un monde étranger, je suppose qu'elle se sentait plus en sécurité avec moi. Sur le chemin du retour, il lui arrivait de partir en coup de vent, et je me mettais à courir derrière, me sentant ridicule et désemparée. À la maison, je ne pouvais compter sur elle. Les jeux d'imagination l'ennuyaient, elle détestait jouer à la madame qui reçoit ou à la maman qui dorlote sa poupée. Je me décourageais, je restais assise à ses côtés à ne rien faire, le regard dans le vide, jusqu'à ce que maman nous envoie dehors avec un ballon. Les jours de pluie, elle organisait pour nous trois (certains soirs papa entrait dans la danse) des jeux de société, charades, devinettes, auxquels Mirka n'osait se soustraire tout en prenant part du bout des lèvres. Elle obtint plus de succès à la cuisine : nous aimions toutes deux aider maman à mesurer et a ajouter les ingrédients, à tourner la sauce ou la pâte, et à goûter à « notre œuvre ».

Si je tente de cerner ce que je ressentais au plus profond de moi cet été-là, rien ne me vient en mémoire, si ce n'est une sensation d'espace ouaté, un nuage dans lequel les paroles résonnaient comme un écho lointain. Avant la venue de Mirka, je rêvais de vacances perpétuelles : une fois l'âme sœur descendue du ciel, je ne serais plus seule. Or l'enchantement s'était mué en une vague déception que je me refusais à reconnaître. Sauf au ballon, soit nous jouions côte à côte en nous parlant à peine, comme aux trapèzes ou à la corde à danser (là encore elle était plus habile que moi), soit son manque d'intérêt me renvoyait à ma solitude. Quant aux jeux de société, ils ne me divertissaient plus : sa présence réticente créait un malaise.

Il est probable qu'à certains moments j'ai détesté Mirka. Lorsque nous faisions des gâteaux, malgré mon soulagement d'observer chez elle un peu d'entrain, je regrettais la douce connivence qui, avant sa venue, me liait à maman. Pourtant je n'étais pas consciente de lui en vouloir. Je n'osais pas. Elle avait ses élans de charme, des éclats de rire soudains, surtout, me semblait-il, en présence de papa. « Allez, ma belle noère », disait-il à l'heure du coucher. «Toi aussi, ma douce», ajoutait-il. Mais je n'étais plus la première.

Parfois, parce qu'ils m'étaient chers, je me laissais aller à évoquer des événements qui avaient marqué ma vie jusqu'ici: les visites chez mes grand-mères, ma vieille mémère toute courbée à la voix douce et chantante, morte quelques mois plus tôt, et Granny, la maman de papa, qui nous offrait des *tea biscuits* et fredonnait des ballades irlandaises. Et mes poupées préférées, les livres de la comtesse de Ségur, les promenades dans la vieille Ford de mon oncle Pascal, parti se battre en Europe. Mes cousines surtout, comment Claudine et moi montions des spectacles dont Julie créait les éclairages, Julie qui se cachait dans les arbres pour lire tranquille et Claudine qui s'exerçait à réciter les stances de Rodrigue en vue de tenir le rôle du Cid quand elle serait assez grande pour prendre part aux séances du couvent.

Mais Mirka ne réagissait pas à mes récits. Mes allusions ne semblaient susciter aucun intérêt chez elle et mes timides questions sur son passé demeuraient sans réponse. À quoi jouait-elle «là-bas»? Avait-elle des jouets? Comment étaient son papa et sa maman? D'où lui venait son prénom? «Ça sonne païen, avait commenté Granny… jamais entendu parler de saint de ce nom-là.» Mirka restait évasive. Seule révélation: un ourson qu'elle conservait dans le sac de cuir au pied de son lit, un petit ours gris un peu abîmé, un morceau de sparadrap autour de l'oreille déchirée. Elle l'avait sorti en hésitant, après que je lui eus montré le mien, qui avait perdu un œil et son ruban rouge autour du cou. Que recelait d'autre son précieux sac?

En dehors de ce trésor, j'avais l'impression qu'elle avait tout laissé derrière. Ainsi les futures reines de France, avant de se présenter devant le Roi, devaient se dépouiller des vêtements qu'elles avaient portés jusque-là et, une fois nues, endosser leurs atours royaux. À la voir réagir, ou plutôt ne pas réagir, ou aurait cru que les étoiles qui avaient brillé sur sa première enfance avaient été happées dans un trou noir.

⁂

Midi. «Les filles, le dîner est prêt.» Je me suis approchée de la table en me traînant les pieds, le nez dans mon livre.

«Où est Mirka? Elle est pas avec toi?

— Je sais pas.»

J'ai haussé les épaules. Les aventures du général Dourakine étaient palpitantes.

«Mais je vous croyais ensemble! Où est-ce qu'elle se cache? Mirka!»

J'ai levé la tête, troublée par un pressentiment. Celui d'avoir failli à ma mission. Déjà, je me sentais coupable. Et agacée. «Elle voulait jouer à rien. Elle découpait des papiers de couleur, elle accaparait le yoyo. Je suis partie lire dans la chambre.» Mécontente, maman a fait le tour des pièces. A commencé à s'inquiéter. «Ses souliers sont à côté du *chesterfield*. T'as rien entendu? Moi non, la radio était allumée dans la cuisine. Et toi, quand tu lis!» S'est résignée à ouvrir la porte de l'appartement, a parcouru les étages (il y en avait trois, nous étions au deuxième) et les corridors en l'appelant à mi-voix, évitant d'alerter les voisins. Je l'ai suivie, j'alternais entre terreur et révolte. Terreur à l'idée qu'il arrive malheur à Mirka, qu'on m'accuse, que je m'accuse d'avoir failli à mes responsabilités. Révolte devant sa différence, son indifférence. C'était bien elle, de ne pas se soucier des autres! Nous sommes sorties du building, tellement énervées que nous avons oublié les clés. «Demande au concierge de t'ouvrir. Informe-toi s'il a vu quelque chose. Appelle ton père. Et prends la clé!»

Le concierge s'est offert à frapper aux portes. Papa était consterné.

«Vous êtes sûres d'avoir bien cherché?

— Papa, elle est pas dans l'édifice. Maman fait le tour du voisinage.

— Elle ne peut pas être loin! Continuez! Rappelle-moi dans cinq minutes. Si vous ne l'avez pas trouvée, j'irai vous rejoindre.»

Je l'ai aperçue au bout de dix minutes, elle tenait la main d'une inconnue. J'ai agité les bras en sautant et couru vers elle. Je m'attendais à la voir triomphante, ravie du bon tour qu'elle nous avait joué. Or elle semblait perdue, soulagée de me voir. L'inconnue était ennuyée: voici qu'elle avait deux enfants sur les bras! Mais non, je connaissais mon chemin, maman n'était pas loin, justement... Les explications ont suivi. La dame balayait les marches de son escalier lorsqu'une petite fille errante, pieds nus, s'était arrêtée devant elle: «Je suis égarée, pouvez-vous m'aider?» Mirka n'était pas sûre de la route du retour. La bonne âme avait accepté de l'accompagner, quitte à s'adresser à la police si la piste ne menait nulle part.

De retour à la maison, maman a demandé à Mirka

pourquoi elle était partie sans aviser. «Je m'embêtais, j'ai eu envie d'aller me promener. J'ai vu un joli chat et je l'ai suivi.» Recommandations d'usage: attendre Marion, avertir. Surtout: les rues sont sales… Attraper des maladies… Ne jamais sortir sans souliers! Maman lui a frotté la plante des pieds à la brosse, tant pis pour les grimaces! Ça servait de punition peut-être. Papa, resté sans nouvelles, était arrivé peu après. Il a cru bon de prendre sa grosse voix: «Toutes sortes de gens… Centre-ville… Dangers.» Le soir, au moment d'aller dormir, Mirka était songeuse: «Dans les villes, il faut faire attention, c'est dangereux de se perdre.»

Deux ou trois ans plus tard, au retour d'une excursion à la campagne — maman adorait les escapades du dimanche —, il y avait bousculade devant la gare. «Attention! Il faut pas se séparer.» Mirka avait déjà sauté dans le premier tramway et nous envoyait la main en souriant. Dans le tram suivant, nous scrutions la foule à chaque arrêt; arrivés à destination, nous l'avons aperçue qui nous attendait, calme. «Peur? Pourquoi? Je savais où descendre, j'étais sûre de vous retrouver ici.» L'avait-elle fait exprès?

⁜

Un après-midi pluvieux, ennuyée de nous voir tourner en rond, maman a ouvert deux valises contenant des vêtements anciens et des tissus inutilisés, a sorti de ses tiroirs une boîte de bijoux sans valeur. «Là-dedans vous avez de quoi vous costumer. Vous pourriez monter un spectacle!» Au départ, j'étais plus enthousiaste que Mirka, puis elle s'est mise à fouiller, a tout sorti et jeté son dévolu sur une grande pièce de tissu en jersey rouge.

« Il y en a assez pour deux, mais il faudrait le couper.

— Pas sans demander à maman, elle le garde peut-être pour se faire une robe. »

Je me rappelais sa colère le jour où j'avais taillé une nappe pour me faire une jupe ! Mirka tenait les ciseaux à la main. Cette fois aussi, maman est arrivée trop tard : « J'ai pas dit de coupailler n'importe quoi, c'est un tissu utilisable. Enfin, c'était utilisable, mais maintenant… » Elle l'a soulevé en soupirant. « Au fond, je sais pas pourquoi j'ai acheté ça, je porte jamais de couleurs si vives. Allez-y si ça vous amuse. » Ouf ! Nous avions évité l'orage. Soulagement. Mais aussi dépit : quand j'avais fait une sottise, maman m'avait grondée. Et voici que Mirka s'en tirait.

Le jersey rouge a fait merveille. Ornées de foulards bariolés, de sautoirs multicolores, serrées à la taille par des ceintures improvisées (une chaîne dorée pour elle et un ruban de soie rayée pour moi), nos robes nous transformaient en princesses aux pieds nus. Ajoutez le fard et le rouge à lèvre chipés à maman, les bandeaux autour des cheveux : nous étions devenues les héroïnes d'un conte à inventer. Je n'avais jamais éprouvé tant de plaisir à jouer avec Mirka. Elle avait des attentions nouvelles : « Tu vas mettre l'écharpe verte, ça ira mieux avec ton teint. Le rouge, c'est trop voyant. »

Papa est rentré du bureau, je lui ai sauté au cou comme chaque soir, et Mirka a sautillé autour de lui en riant. « Ben regarde donc ça, la belle visite ! Deux petites *gypsies* ! Allez-vous me dire la bonne aventure ? » Nous avons soupé vêtues de nos déguisements.

Une fois la vaisselle lavée et rangée, maman a mis un disque pour signaler le début du spectacle. Excitées par la confection de nos costumes, nous n'avions pas trouvé le temps de nous préparer. En dansant sur place j'ai chantonné *L'amour est enfant de Bohême*, que je connaissais plus ou moins grâce aux extraits de *Carmen* que certains soirs papa faisait jouer sur le phonographe. Toute à ma joie, j'ai fini par une fioriture audacieuse: «Et si je t'ai-ai-aime, si je t'aime prends ga-a-ha-ha-harde à toi!» penchée en direction de Mirka, qui a porté la main à son front en un geste théâtral. Applaudissements.

«À ton tour, Mirka! Chante-nous une chanson qu'on connaît pas, une chanson de ton pays.» Les yeux baissés, elle a froncé les sourcils, est restée les bras ballants, muette. Puis peu à peu, une mélodie plaintive, insistante s'est élevée. Par moments Mirka perdait le fil des paroles, fredonnait la musique, puis les reprenait. Que racontait la chanson dans une langue inconnue? Il me semblait qu'elle évoquait le vent, la route, des soupirs, des rêves et des blessures, l'espérance et le goût amer des larmes. Était-ce la chanson qui pleurait, ou Mirka? Jusqu'ici les malheurs dont je voulais la sauver étaient demeurés abstraits, «les malheurs de la guerre». Dans mon esprit «la guerre» était imprécise, une chose vague, un terme auquel j'accolais des notions de bons et de méchants, d'aventures, d'espions, de coupons de rationnement, d'orphelins, d'un oncle en uniforme. Qu'en savais-je vraiment? Ce soir-là, Mirka m'est apparue à la fois plus lointaine et plus proche qu'avant. Auréolée d'un passé mystérieux, d'expériences que je ne pouvais soupçonner, inatteignable.

En même temps, je ressentais sa tristesse, quelque chose en moi vibrait à l'unisson, une détresse soulevée par le souvenir de vieux chagrins: ma peur du noir, mon ennui quand maman s'absentait, ma crainte de lui déplaire, les humiliations subies dans les jeux d'enfants. Je pleurais, j'aurais voulu prendre Mirka dans mes bras et la bercer.

La chanson terminée, elle nous a regardés en silence, les yeux secs. Brusquement elle a couru à notre chambre, s'est jetée sur son lit, la tête enfouie pour cacher ses larmes. Je lui ai touché la main, elle s'est laissé faire. Maman s'est approchée, s'est assise au bord du lit, lui a caressé le bras doucement.

«Pleure, mon trésor, tant que ça te fera du bien de pleurer. Il y a une grosse peine dans ton cœur, une peine qu'on voudrait soulager, mais c'est difficile. Tu es arrivée comme un petit oiseau, toute seule, loin de ton village, de ta maman, de ton papa, tu es venue chez des inconnus qui ont des habitudes différentes. C'est un bien long trajet que tu as parcouru depuis la Belgique...» Mirka a secoué la tête, l'a enfoncée dans l'oreiller: «Je vous déteste, je déteste ça ici, je veux m'en aller, je suis en prison, je veux mourir.»

Maman était pâle, ses lèvres tremblaient. Comment réagir à un tel cri? Papa s'est avancé. «Écoute, si tu crois qu'il existe un endroit, une famille où tu serais plus heureuse qu'ici, dis-le-nous, on en discutera. Quant à retourner dans ton pays, tu sais que c'est impossible maintenant, mais quand la guerre sera finie, parce qu'elle va finir un jour cette maudite guerre, on va t'aider à retrouver les tiens, je t'en fais la promesse. En attendant, tu n'as pas d'autre choix que de rester en Amérique. Sache que nous autres, on t'aime, même si c'est pas facile tous les jours. Parfois tu ne nous comprends pas, d'autres fois c'est nous qui ne te comprenons pas : on n'a pas grands repères ni souvenirs communs. Mais je suis prêt à faire les efforts nécessaires pour qu'on vive en harmonie, je suis sûr que maman et Marion pensent comme moi. Je vais ajouter une seule chose. Si tu partais vivre ailleurs, je m'ennuierais de toi, je m'ennuierais de ma belle noère, de ton rire. Il est rare, ton rire, mais quand tu ris, tu es toute transformée ! C'est un cadeau qu'on a reçu avec ta venue. »

Il s'est tu un instant, puis a ajouté : « Bon, pendant que vous vous mettez en pyjama, je vais aller chercher des cornets de crème à la glace pour tout de monde. »

Maman a caressé le bras de Mirka à nouveau.

« C'était très beau ce que tu as chanté ce soir. Si jamais tu as envie d'en parler, de nous dire ce que ta chanson raconte, qui te l'a apprise, je suis là.

— C'est maman. »

Elle s'est relevée à demi, des traces de larmes sur les joues.

« Elle aime chanter ?

— Quand j'étais petite, elle chantait tout le temps, mais quand la guerre a commencé, elle ne chantait presque plus, seulement le soir, des fois.

— Quelle langue parle ta maman, le flamand ?

— Le français.

— Mais… la chanson ?

— Je sais pas.

— Tu sais ce que les paroles veulent dire ?

— Non.

— Tu l'as retenue? Quelle mémoire!

— Je la chantais à mon petit frère quand maman n'était pas là.

— Et ton petit frère, où est-il?

— Mon père l'a envoyé chez ma grand-mère.

— Comment ça se fait qu'il ne soit pas venu avec toi?

— Il était trop petit. Moi, je suis partie pour Londres avec ma tante. Maman et Daniel devaient nous rejoindre, mais ma tante dit que c'est impossible de sortir de Belgique maintenant.

— Pauvre chouette, comme tu dois t'ennuyer!

— …

— Et ton papa?

— Oh lui, je m'en fiche!»

J'ai vu maman tressaillir, puis hésiter. Il lui semblait inconcevable qu'une enfant proclame se ficher de son père. Après les émotions de la soirée, elle n'a pas insisté. «Tu es fatiguée, tout le monde est fatigué. Déshabillez-vous, les filles, papa s'en vient avec la crème glacée.»

Si, la veille, on m'avait offert le choix entre revenir deux mois en arrière, avant la venue de Mirka, ou continuer ma nouvelle vie avec elle, j'aurais opté pour le statu quo. De toute façon, je savais que Mirka n'était pas chez nous à l'essai; il n'était pas question de la retourner d'où elle venait. Surtout je me voyais comme une personne généreuse, incapable de souhaiter le malheur des autres et je m'étais donné la tâche de sauver Mirka de son tragique passé. Mais au fin fond de moi, si j'avais été totalement sincère, j'aurais avoué ma nostalgie du temps paisible où le cocon familial m'enveloppait et où la «belle noère» ne menaçait pas mon statut d'unique enfant choyée. Peut-être même avais-je vaguement rêvé d'un scénario romantique dans lequel la «vraie mère» de Mirka, après avoir réussi à fuir son pays, apparaissait par miracle et l'emmenait avec elle en attendant de rentrer en Belgique. Scène d'adieux touchante: la maman nous remercie d'avoir accueilli sa fille bien-aimée, Mirka nous embrasse tous enfin, larmes de gratitude aux yeux, promesses de s'écrire et de se revoir. Retour au foyer tous les trois, entre nous. Finie la crainte de provoquer son mécontentement, envolée l'anxiété de chercher à lui plaire. La conscience tranquille, rassurée de la savoir heureuse loin de nous, libérée de ma mission, je reprendrais mes jeux et installerais mes poupées à mon gré autour de la table à café sans risquer d'entendre des soupirs d'ennui. Il resterait l'évocation de son passage, quelques commentaires: «C'est ce qui pouvait arriver de mieux. Ce devait être terrible d'être ainsi plongée dans l'inconnu, quel bonheur pour elle de vivre à nouveau auprès de sa maman.»

Oui, s'il avait existé une solution par laquelle nous nous serions «débarrassés» (un terme que je me serais interdit de prononcer) de la présence de Mirka sans qu'elle en souffre, j'aurais été comblée. Mais ce soir-là, après nos paroles, son cri «je vous déteste», ses confidences réticentes, la situation était renversée. S'il fallait qu'elle nous quitte vraiment! En songeant à cette possibilité, je me sentais en peine, sans défense, ne sachant que faire de ma bonne volonté inutile. Que j'étais loin du but! L'atteindrais-je jamais? En l'écoutant chanter j'avais pris la mesure d'une affection naissante, une véritable affection et non pas le dessein superficiel de «faire le bien» qui avait jusqu'ici dicté mes actes. J'aurais voulu la prendre dans mes bras et la supplier de ne pas partir, lui promettre que je ferais tout pour rendre heureux son séjour chez nous. Un geste de maman m'a arrêtée. Il était l'heure de détendre l'atmosphère, de savourer la crème glacée avant de se reposer. Au moment de nous coucher, je me suis approchée de Mirka: «Moi aussi, je m'ennuierais si tu partais.» Elle a esquissé un sourire embarrassé avant de se tourner dans son lit.

Le lendemain, j'étais persuadée qu'une vie nouvelle s'ouvrait devant nous, une vie sans tensions, sans malaise. Mirka semblait plus calme. Elle a proposé d'aller au terrain de jeux, nous nous sommes amusées sur le *see-saw*. En rentrant elle a accepté que nous fassions un gâteau ensemble, juste nous deux. Maman a dit: «D'accord, je vous laisse, mais si vous avez besoin d'une consultation, je reste à côté.» Il n'était pas mal réussi, papa nous a félicitées.

Chaque année, au mois d'août, nous passions quelques jours à la campagne chez ma tante Clémence et mon oncle Auguste. Chaque année, je comptais les jours avant le départ. Là-bas, loin des rues grises et des maisons aux murs mitoyens, loin des arbres rabougris qui se frayaient avec peine un chemin entre les pavés du trottoir, je baignais en pleine lumière. Je me laissais envelopper par le soleil et par l'été, loin de l'écrasante brûlure de la ville. La fraîcheur des espaces verts, le reflet diapré des champs de blé et de maïs, le chant de la cigale, la teinte dorée de la poussière, le frémissement des peupliers, le spectacle de la claire rivière entre deux villages, adoucissaient les journées les plus chaudes. Tout m'amusait : la cueillette des petites cerises à la saveur amère, une promenade dans une charrette à foin, la dégustation du blé d'Inde frotté de beurre frais autour de la grande table de cuisine, première étape du souper. Suivaient une omelette rôtie fourrée de patates et d'oignons accompagnée d'une salade de laitues du jardin patiemment touillée et assaisonnée par mon oncle et, comme dessert, des tartines de confitures et un grand verre de lait de la ferme encore chaud. J'aimais nos courses avec les enfants voisins, la rue poussiéreuse dans laquelle la rareté des passants nous laissait la place, les après-midi dans la chaleur écrasante du grenier à fouiller dans les valises à la recherche d'albums *Bécassine* ou *Semaine de Suzette* d'avant-guerre, la lecture sur la grande galerie, notre tour du village après souper avec une bande d'enfants qui commentaient les derniers potins, ou ce qu'ils en avaient compris.

L'éclat de ces brèves vacances rayonnait sur une partie de l'année. Pendant des semaines, je m'y préparais. Je choisissais les vêtements et les cadeaux à apporter, je songeais aux événements que je raconterais, j'imaginais nos conversations, je me réjouissais à l'idée de rencontrer d'autres enfants, d'autres visiteurs. Je me demandais s'il y aurait une excursion amusante, comme la fois où mon oncle Pascal était apparu dans sa voiture à demi déglinguée et avait emmené toute la marmaille à la plage.

Cet été-là, ma hâte habituelle était tempérée par la

conscience aiguë de la nouvelle dynamique de notre famille. Si Mirka se montrait aussi rétive avec ma tante et mon oncle qu'elle l'était avec nous, quelles réactions son comportement susciterait-il? En même temps, l'évolution de mes sentiments à son égard me poussait à l'excuser, à la protéger.

J'ai esquissé pour elle ce qui nous attendait, sans entrer dans les détails. Je voulais bien partager mon plaisir, mais à l'intérieur de certaines limites. La liesse que je ressentais à la pensée des vacances, l'amour sans retenue, pour ne pas dire l'adoration qui me liait à mes cousines, c'était mon jardin secret. Je n'étais pas prête à en ouvrir la barrière à une étrangère. «Étrangère»… Malgré le renouveau d'affection que la soirée de déguisements avait suscité, malgré ma mission de «rendre Mirka heureuse», parfois encore elle me semblait de passage, une enfant venue d'ailleurs, une greffe qui ne s'était pas intégrée.

Nous avons pris le train comme chaque année. Mirka ne manifestait aucun enthousiasme, je retenais le mien. Comme chaque année, je guettais le double clocher d'argent qui signalait l'approche de l'église et du village; pourtant je n'ai pas sauté de joie en l'apercevant. J'avais le cœur battant d'appréhension plus que de joie. Sur le quai de la gare, Julie, Claudine et mon oncle nous attendaient. Je me suis jetée dans leurs bras, alors que Mirka restait en retrait. Maman l'a présentée, mes cousines l'ont entourée et emmenée avec elles en direction de la maison où ma tante finissait de préparer le dîner. Je suivais derrière, solitaire. J'étais surprise de voir Mirka sourire, fascinée par le tourbillon de paroles dont l'enveloppait Claudine.

Mais qui résistait à Claudine?

Nous avons traversé le village sans qu'elle jette un regard sur les façades, l'église, le couvent, la poste, le magasin général. Mais en tournant le coin de la rue sans nom qui menait chez mon oncle, elle s'est arrêtée brusquement, l'air ébloui. Deux ou trois maisons sur la gauche, plus loin à droite la ferme voisine, devant nous un court trottoir de bois bordé de «piquants», un chemin poussiéreux qui ne menait nulle part. Le décor ne lui rappelait pas, comme à moi, des bonheurs passés. Que lui trouvait-elle de si captivant? Du trottoir elle a sauté par-dessus le fossé d'orties en s'égratignant les jambes, s'est mise à courir, les bras en croix, jusqu'à ce que la rue se perde dans les champs. «Chère chouette, elle s'est ennuyée de la campagne! s'est exclamée maman. On sait si peu de choses d'elle! On a beau essayer d'ouvrir un peu la porte, doucement, elle ne dit rien de sa vie passée.» Mirka a fini par revenir en zigzaguant, elle s'est attardée devant les vaches et les cochons de l'autre côté de la clôture, a agité les bras comme si elle leur disait: «Bonjour! Bonjour! Enfin je vous retrouve!»

Pauvre Mirka! Dans notre appartement exigu, lorsque tu regardais dans le vague, sourcils froncés, absente, songeais-tu aux portes ouvertes sur les champs, aux journées ponctuées par le cri du coq et l'appel des bêtes? Nous t'avions chaussée de souliers vernis alors que tu brûlais de courir pieds nus. Le pain bis recouvert d'oignons te manquait, mais maman te servait des pamplemousses et des toasts au pain blanc! J'ai compris plus tard qu'elle était des plus modestes, la ferme familiale où tu avais grandi. Mais une enfant n'a pas besoin de dix acres pour s'enivrer d'air pur. Il t'avait suffi de parcourir ton domaine, les poules caquetantes à tes trousses, de caresser la robe rêche des vaches. Là où tu étais reine.

Un jour, on t'avait arrachée à ton royaume pour te lancer dans un voyage solitaire et sombre, au passage une ville étrangère, humide, au ciel strié d'éclairs, puis un train, un bateau, un train, jusqu'à nos quatre murs au bout d'une cage d'escalier sombre. Quand tu mettais un pied nu hors de la porte, maman t'arrêtait: «Voyons ma chouette, oublie pas tes souliers, le corridor est sale, tu vas pas te promener sur le trottoir comme ça!» Trottoir bordé d'une bande de gazon chiche. Alentour, que briques, pierres, pavés, encore des pierres, des briques, aussi loin que portait le regard. Même le terrain de jeux, qu'on appelait prétentieusement le parc, n'était qu'un carré de sable entre deux buildings, piqué de structures et de balançoires, grouillant d'une marmaille piaillante. Tu te réfugiais sur les anneaux, tu t'oubliais dans des virevoltes, tu donnais un élan à la barre et, suspendue par les genoux, fixais ce nouveau monde aussi incompréhensible dans un sens que dans l'autre.

À la campagne, Mirka resplendit. Elle sourit comme jamais je ne l'avais vue sourire, la tête haute, les yeux brillants. Nos clôtures de fils de fer différaient des murets de pierre qu'elle connaissait, elle s'étonnait de nous voir manger le maïs destiné chez elle aux animaux. Peu importait. Elle caressait les chevaux, prenait les poussins dans ses mains, se moquait des cochons, suivait les enfants du fermier voisin à la traite des vaches. Les petites «habitantes» étaient surprises et enchantées de son savoir-faire. Moi qui ai peur des bêtes, je l'enviais et je m'ennuyais. Au milieu des poules, j'avais peur de me faire picorer («picosser» disais-je) les jambes et je restais à distance. Voici que ma protégée, la malheureuse enfant sur qui je devais veiller, n'avait aucun besoin de mes attentions. Elle avait trouvé sa cour. Comme si nous avions reçu une ration fixe à partager, son plaisir siphonnait le mien. À mesure qu'elle s'épanouissait, je me recroquevillais. Oh! Je tentais de le cacher. Enfant unique, j'avais appris que pour être aimée, il faut être gentille: les «autres» n'avaient aucune obligation de me rester fidèles. Et s'il est une affection à laquelle je tenais, c'était celle de mes cousines, de Claudine surtout, dont je me sentais plus proche. Julie avait quatre ans de plus que moi, écart important à cet âge. Et des deux, c'était Claudine la séductrice. Chez Julie, aucune rondeur, aucune compromission pour gagner des faveurs. Solitaire, solide, efficace, lorsqu'elle prenait la parole elle était d'une franchise absolue. Pas question de faire des coquetteries. Alors que Claudine, de santé fragile, avait tôt découvert que la maladie était un atout qui permettait de faire danser l'entourage autour de son petit doigt. Elle réussissait d'autant mieux qu'elle n'était pas une malade triste ou plaintive: quelques soupirs, un regard languide et le tour était joué. Une fois obtenue la permission de s'absenter de l'école, par exemple, elle redevenait l'enfant volubile, primesautière, divertissante qui vous emportait dans son tourbillon

Dès notre arrivée, elle avait déployé ses sortilèges. En trois jours nous avions appris plus de choses sur le passé de Mirka qu'en cinq semaines: qu'elle trayait les vaches et nourrissait les poules, qu'elle surveillait le potager et prenait soin de son petit frère. «Tu t'ennuies de lui?» Elle avait haussé les épaules. «Et ta mère?» D'abord, elle ne répondit pas. Puis: «Ma tante m'a dit qu'elle ne pouvait pas me suivre, mais je ne la crois pas.» Claudine lui entoura le cou de ses bras et l'embrassa. Sa curiosité ne semblait jamais inquisitrice, mais bienveillante, légère. Mirka ne fuyait pas.

Le soir mon calvaire se poursuivait. Les étés précédents, je dormais avec Claudine et nous nous chuchotions mille secrets jusque tard dans la nuit. Nos mères nous rappelaient à l'ordre avec indulgence: elles n'avaient pas oublié leurs vacances d'autrefois. «Assez, assez papoté, il est l'heure de dormir.» Nous nous taisions un temps avant de reprendre de plus belle. Cette fois, pourquoi?, c'est Mirka qui dormit dans la chambre de Claudine alors que je partageais celle de Julie, qui, sensible à ma déception, tentait de me distraire. Une nuit, couvertes de nos draps, nous nous sommes glissées chez elles par le placard communicant et les avons surprises en poussant des gémissements de fantômes. Nous avons ri comme des folles toutes les quatre, puis Julie et moi sommes retournées nous coucher. De mon lit, j'entendais les chuchotements dans la chambre à côté, les rires étouffés, je brûlais d'envie d'aller les rejoindre, n'osais pas. Que racontait Mirka au cours de leur tête-à-tête nocturne? Faisait-elle à Claudine des confidences qu'elle me cachait? Pourquoi soudain était-elle si différente? Et Claudine, dont je me vantais être l'amie préférée, l'élue entre toutes, Claudine m'aimait-elle encore? Je n'en pouvais plus, il fallait que je sache: un soir je me décidai, tout en me sentant coupable d'abandonner Julie. Elles m'accueillirent, mais, à trois, la magie n'y était plus.

Avant la venue de Mirka parmi nous, lorsque j'en avais assez de jouer seule autour de mon service à thé, je faisais appel à mes amies imaginaires, le plus souvent Camille et Charlotte, petites filles modèles créées par la comtesse de Ségur pour inciter les enfants à la sagesse. En apprenant que j'aurais une sœur de mon âge, je les avais allègrement larguées. À quoi bon ces compagnes sans consistance alors que j'aurais à mes côtés une vraie petite fille qui me prendrait par la main, qui me lancerait le ballon, qui ferait des sottises comme moi et avec moi? Hélas! La petite fille ne me prenait jamais la main, à peine si elle se laissait emmener au parc pour se perdre sur les trapèzes en oubliant mon existence. Elle s'animait davantage au milieu des poules et des cochons qu'en ma compagnie. Sa présence était en voie de gâcher mes vacances, de détruire à jamais (j'en étais persuadée) le souvenir que chaque année j'emportais de ma visite. Il ne me restait de cet été que ma décep-tion, des images pénibles: ma peur des bêtes, le bras de Claudine autour du cou de Mirka, les chuchotements et les rires étouffés dans la nuit dont je me sentais exclue. Pis, l'intrusion de Mirka avait non seulement ruiné le plaisir des vacances, elle avait interrompu l'élan d'espoir que je vivais chaque été, ma hâte de partir à mesure qu'approchait le mois d'août, la trépidation que je ressentais dans le train, ma joie à l'apparition du double clocher de l'église, de la rivière et de Claudine et Julie sur le quai de la gare. Retrouverais-je jamais ces moments de parfait bonheur?

Puisqu'il en était ainsi, aussi bien me contenter de Camille et Charlotte. Auprès d'elles aucune inquiétude, aucun tourbillon destructeur. Ces enfants ne se permettaient jamais une pensée qui ne soit parfaitement vertueuse, un sentiment qui ne soit généreux, attentif, tolérant, fidèle. De là le léger ennui qui émanait d'elles ? En revanche, à condition de ne pas s'acharner à les émuler, leur vertu avait quelque chose de rassurant. Jamais elles ne me blâmaient, ne me résistaient. Je décidais de nos jeux, je bavardais avec elles en prenant le thé, sûre de leurs oreilles attentives. Pourtant, depuis l'arrivée de Mirka, elles m'échappaient. J'avais beau tenter de les ranimer, leurs visages pâles et fades, leurs silhouettes vêtues de robes démodées, n'étaient devenues que des ombres.

Les vacances terminées, le temps de la rentrée scolaire est arrivé. Mes parents s'étant établis tout récemment dans le quartier, je devais m'adapter à une nouvelle école et à de nouvelles compagnes qui se connaissaient déjà et s'étaient habituées à jouer ensemble. J'en avais croisé quelques-unes au parc sans me lier avec elles. Je me sentais perdue, exclue. La situation de Mirka était encore plus difficile. Ses acquis scolaires ne concordaient pas avec le programme ; en deuxième année ce n'était pas grave, mais la rigidité de l'époque (les écoles n'étaient pas préparées à recevoir des étrangers) et son manque de coopération rendaient son intégration ardue. Surtout, son accent suscitait les moqueries. La maîtresse avait beau rappeler ses élèves à l'ordre, elle devait aussi demander à Mirka de répéter parfois ; alors Mirka ne disait plus mot.

Je me réjouissais que nous ne soyons pas dans la même classe. J'avais assez de mes problèmes et je la savais suffisamment débrouillarde pour se tirer d'affaire. N'avait-elle pas séduit Claudine et Julie, et ma tante et mon oncle? Pourtant, lorsque je la voyais dans la cour, immobile, à l'écart, tête penchée, sourcils froncés, je courais vers elle. «Tout le monde est méchant», bougonnait-elle. J'aurais voulu l'assurer que non, ces enfants n'étaient pas méchantes, elles étaient... différentes, ignorantes, indignes de nous. Moi aussi j'avais du mal à établir un contact avec mes camarades. Je me contentais de balbutier: «Essaie de pas t'en occuper.» Mais le jour où je me suis aperçue qu'elle avait pleuré, que j'ai entendu une élève crier «parle comme tout le monde, qu'on te comprenne, d'où ce que tu d'sors?», j'ai attrapé la petite par la ceinture. «Pis toi, pour qui tu te prends? De quoi t'aurais l'air, fifine, dans un pays étranger? Si tu te retrouvais en France ou en Belgique, tu parlerais comment, hein? Avec ton "d'où ce que tu d'sors"? C'est quelle langue ça, "d'où ce que tu d'sors"? Pas du français en tout cas! Espèce d'insignifiante!» D'autres enfants nous ont entourées. «Pis qu'il y en ait pas une qui fasse pleurer ma p'tite sœur parce qu'elle va avoir affaire à moi.» La surveillante s'est approchée, j'ai relâché l'enfant. «Cette petite fille-là a été obligée de quitter ses parents, elle en a pas de nouvelles, elle a souffert de la guerre (ma voix a monté d'un ton en prononçant "guerre"), on l'a accueillie chez nous, elle fait partie de ma famille, elle devrait être traitée aux petits oignons au lieu de faire rire d'elle par une bande d'ignorantes. En tout cas, si ça se répète, je vais en parler à mon père.»

Les élèves s'étaient attroupées en silence. J'ai pris peur. Comment avais-je pu être si téméraire? Personne ne bougeait, même la maîtresse, elles attendaient la suite. Je me suis figée. Finalement la maîtresse (la «Sœur», comme nous disions) s'est adressée à moi: «Calmez-vous, Marion!» Elle a dispersé les enfants et s'est penchée vers Mirka. «Il faut être brave, mon enfant. Je parlerai à vos compagnes, mais il faut apprendre à vous défendre et ne pas compter sur votre grande sœur.

— Je n'ai pas besoin d'elle, laissez-moi, tout le monde est méchant, laissez-moi tranquille. Et je te défends de parler à ton père!»

Elle a couru à l'autre coin de la cour, s'est appuyée contre le mur, dos à nous.

«Je soupçonnais qu'elle avait vécu des moments pénibles. Hélas, nous entendons tous les jours des récits semblables… Les enfants peuvent être cruels! Vous avez peut-être ébranlé ses compagnes. Son comportement ne facilite pas son intégration. Elle est rétive.

— Elle n'est pas heureuse… même chez nous…»

Les larmes me montaient aux yeux. La Sœur faisait preuve de sympathie tout en gardant ses distances. J'aurais voulu me jeter dans ses bras, me faire consoler, mais la règle coupait court à tout épanchement. «Calmez-vous, Marion!» Si les filles de ma classe ne se moquaient pas de moi, elles m'ignoraient, formaient un groupe dans lequel je ne trouvais aucune place. À quoi bon une sœur? Elle était plus malheureuse que moi et me chassait. Mes cousines étaient loin, de toute façon je les avais perdues. Charlotte et Camille ne m'étaient d'aucun secours. Mes parents? Pourquoi les chagriner? Mirka m'avait défendu de leur parler; je comprenais et respectais sa fierté.

Le parcours des journées d'école qui s'étendait devant moi, qui aurait dû être lisse et sans histoire, ennuyeux à force de routine, voici qu'il perdait sa prévisibilité. Je l'entrevoyais semé de pièges, de jeux solitaires, d'inquiétude pour Mirka mêlée au dépit qu'elle refuse mon aide, de crainte que ses compagnes ne reprennent leurs moqueries et que je ne sois plus à la hauteur. L'accès de colère qui m'avait emportée n'était pas dans mon caractère; si jamais les enfants s'attaquaient de nouveau à nous, je n'étais pas sûre d'être aussi brave; j'avais peur d'avoir peur et de trahir Mirka. Je marchais la tête haute, tremblant qu'elles ne devinent ma vulnérabilité. J'élaborais des scénarios dramatiques: mes parents déménageaient et nous nous retrouvions dans une école où élèves et professeurs nous accueillaient avec chaleur, ou bien la maîtresse invitait une étudiante plus agée, étrangère comme Mirka, mais plus diserte et convaincante, qui racontait si bien les difficultés d'adaptation à un pays nouveau qu'elle gagnait le cœur des élèves et les amenait à changer de comportement.

Rien d'aussi merveilleux ne s'est produit. L'année a paru longue; j'étais contente de rentrer à quatre heures et comptais les jours qui me séparaient des vacances. Je savais qu'il en était de même pour Mirka. Nous n'en parlions pas entre nous, mais à la maison nous nous entendions mieux, comme si nous ressentions sans l'exprimer le besoin de s'appuyer l'une sur l'autre. Il n'y a pas eu de dénouement miraculeux, mais la situation s'est tassée graduellement. De mon côté, quelques camarades m'ont incluse peu à peu dans leurs jeux, nous invitions Mirka à se joindre à nous. Surtout, grâce sans doute au doigté de la maîtresse qui a su faire réfléchir ses élèves au sort d'enfants moins choyées qu'elles, les moqueries se sont espacées. Je n'ai plus revu Mirka pleurer. Son attitude rébarbative ne gagnait pas volontiers les cœurs, mais témoignait d'un courage et d'un esprit d'indépendance qui imposaient le respect. Contre le mur dont elle s'entourait, les traits étaient impuissants, du moins en apparence.

Pendant les vacances de Noël, tante Clémence et oncle Auguste sont venus à Montréal faire le tour de la famille et ils ont passé trois jours chez nous. Mirka et moi avons cédé notre chambre aux adultes; les enfants se sont installées dans le salon sur des coussins et des matelas improvisés. Merveilleuse aventure! Peu importait l'inconfort. Assises en rond, nous avons renoué avec les palabres à mi-voix, à quatre cette fois. J'ai oublié ma solitude. Le lendemain, c'était fête, nous avons déballé nos cadeaux couverts de papiers et de rubans multicolores, Mirka était intimidée mais a participé sans trop de réticence. La dinde embaumait, les verres luisaient, Claudine me prenait par le cou. Tout n'était donc pas perdu?

Est-ce vers cette époque, ou un peu plus tard, que j'ai observé chez Mirka un abandon graduel des « madame » et « monsieur » par lesquels elle s'était adressée à mes parents au début de son séjour? Maman avait trop de tact pour s'attendre à ce qu'elle l'appelle « maman ». Devenue adulte, Mirka, mi-badine, mi-sérieuse, s'écriait parfois, avec l'accent : « Voyons donc môman! » À quoi « môman », rose de plaisir, répliquait

«Ah toi! Ma belle noère!» Mais les premiers temps, il n'en était pas question. «Maman» était celle qui avait veillé sur ses premières années, dont la guerre l'avait séparée, dont l'absence, c'était évident, la tourmentait. Celle qui chantait une berceuse dans une langue inconnue, une berceuse si précieuse que l'enfant en avait retenu toutes les intonations. Alors, là dame qui l'avait accueillie, pleine de sollicitude, de moins en moins étrangère, de quel nom la nommer? Très attachée à maman, je la comblais de mots doux: mon micou, mamouchka, ma belle Nina (de son parfum l'*Air du Temps* de Nina Ricci), mamichou. C'est celui-ci que Mirka, un jour, sur un ton de prière, a osé. Maman a souri: «C'est joli, mamichou.» Quant à papa, la solution s'est présentée d'elle-même. Granny, ma grand-mère irlandaise au français mâtiné d'anglais, l'appelait «daddy»: «Où est ton daddy? Demande à ton daddy...» J'employais indifféremment papa ou daddy. *Mamichou* et *daddy* sont restés, occasionnels chez moi, définitifs chez Mirka.

Am-stram-gram, pique et pique et... ratatam? corégram? Am stram gram! Ainsi a passé ma seconde enfance, auprès de mon petit chardon qui, parfois, nous offrait la surprise d'une fleur.

Un jour vint la paix.

2
1945

Le 8 mai 1945, un rhume me retenait à la maison. Dans la matinée, papa a téléphoné : «C'est fini! Fini! Les Allemands ont capitulé à Reims, l'entente est ratifiée aujourd'hui à Berlin.» Les cloches des églises ont sonné, maman a ouvert la radio, les gens dansaient dans les rues du monde entier, les confettis couvraient le centre-ville. Nous sommes sorties sur le balcon, voisins et passants se saluaient en se félicitant. Enfin! Terminées les émissions de nouvelles qui révèlaient chaque soir le compte des morts! Le cours des événements avait viré de cap. Soudainement, je me suis sentie guérie, j'étais frustrée d'être enfermée, de rater les fêtes spontanées qui s'organisaient partout où je n'étais pas. Mirka est revenue de l'école toute excitée : il y avait eu suspension de cours, les Sœurs avaient emmené les classes à l'église chanter le *Te Deum*, au retour avaient distribué des bonbons et organisé des jeux. «On a eu du plaisir! On a ri en faisant les folles et personne ne nous a empêchées!» Tous et toutes baignaient dans l'amour universel.

Mais, comme l'a chanté Homère bien avant nous, la guerre ne finit pas avec la dernière bataille. Ses blessures perdurent longtemps après que le sang a séché, son odeur colle au corps. La route est longue jusqu'à Ithaque, il est facile de s'égarer. Le jeune frère de papa, mon oncle Pascal, est revenu en civière, frappé par un éclat d'obus deux jours avant la fin des hostilités. Il a dû subir un an d'hôpital, entouré d'autres voyageurs qui traînaient dans leurs chairs des miettes de shrapnell et des visions d'horreur.

Le 10 août, on apprit que toute victoire n'est pas glorieuse. On avait pu être inconscients (les Alliés ne s'en vantaient pas) des pertes civiles causées par les bombardements de Hambourg, Berlin, Dresde, Osaka et Tokyo, il était impossible d'ignorer les champignons qui s'élevèrent sur Hiroshima et Nagasaki, et les pluies noires qu'ils répandaient. Ce jour-là, notre planète perdit son innocence. On était soulagés que soit posé le point final à cette guerre qui avait scindé le siècle, mais il était difficile d'exulter en prenant conscience du prix qu'avaient payé les victimes. Les festivités se firent plus sobres. Jusque-là, la frontière entre bons et méchants avait été nette, voici qu'elle se brouillait.

À cette époque, mes parents avaient emménagé dans un logis plus grand, au rez-de-chaussée d'un duplex, dans un quartier où résidaient plusieurs familles. Nous n'allions plus au parc. Avec nos amies, nous prenions le tram jusqu'au sommet du Mont-Royal et nous nous promenions en bande autour du lac aux Castors ou du côté du Belvédère. À treize ans, j'avais délaissé *Bécassine* et la comtesse de Ségur pour Berthe Bernage et les romans historiques pour tous qui traînaient dans notre bibliothèque après avoir fait dans sa jeunesse les délices de maman. Je découvrais l'existence choyée de la noblesse russe et les actes héroïques de batailles exotiques. Je m'examinais dans le miroir : « Miroir, miroir, dis-moi qui est la plus belle ? » Mirka ? Mirka aux longs cils, aux yeux noirs, à la folle chevelure, à la bouche gourmande ? Mais la glace ne reflétait que moi, mes cheveux ternes et raides, mon pli boudeur aux lèvres.

Au cours des ans, j'avais retrouvé ma Claudine. Notre correspondance, au début quelques échanges de projets et commentaires entre nos trop rares visites, était devenue une habitude indispensable. Ses premières lettres, je les montrais à Mirka et à mes parents, j'en lisais des passages à table. Puis, devenue possessive, je n'acceptais de partager que des nouvelles anodines. Entre Claudine et moi s'était développé un langage commun, des références à nous seules significatives. Mirka ne s'en montrait pas dépitée. À cette époque elle semblait peu sensible au plaisir de l'écriture, trouvait peu d'intérêt aux œuvres historiques, humoristiques, classiques même, que Claudine et moi commentions à longueur de lettres. Seuls quelques romans d'aventures trouvaient grâce à ses yeux, comme ceux de Jules Verne auxquels, à l'adolescence, s'ajouteraient ceux de Saint-Exupéry. Elle connaissait les aventures de Tintin par cœur, suffisamment pour se distinguer, quelques années plus tard, dans un concours télévisé qui portait sur le personnage.

Je ne pesais pas les conséquences de la paix. L'existence de Mirka était devenue si ancrée dans la nôtre que je ne m'arrêtais pas plus à l'idée qu'elle puisse nous quitter qu'à imaginer la mort de papa ou de maman.

Nous étions quatre, de même que la famille de tante Clémence et d'oncle Auguste se composait de quatre personnes. Oubliés les vieux scénarios dans lesquels sa mère arrivait à brûle-pourpoint et nous «débarrassait» de la présence de Mirka. Les chicanes, les rivalités, les différends n'y changeaient rien. Même dans mes projets d'avenir les plus extravagants, je ne pensais jamais: «Un jour, chacune ira son chemin.» J'avais oublié, ou je refusais de me rappeler, la promesse de papa qu'une fois finie «cette maudite guerre», il ferait des recherches pour retracer les parents de Mirka. Or la maudite guerre était terminée.

❖

Samedi était jour de gaufres. Maman préparait la pâte, papa surveillait la cuisson, Mirka et moi mettions le couvert et le sirop sur la table. À la fin du repas, les parents parcouraient le journal en sirotant leur café et en fumant une cigarette. Ce matin-là, comme je m'apprêtais à quitter la table avec Mirka, papa nous a retenues. Dès ses premières paroles, j'ai su. J'ai su que notre vie commune ne serait plus jamais comme avant.

Mirka venait d'avoir douze ans. Nous avions fêté son anniversaire simplement, comme toujours: nous savions qu'il était lié de près au mauvais souvenir de son départ de Belgique. De son itinéraire jusqu'à nous, j'avais presque tout oublié, tant à cause de la réserve de Mirka là-dessus que par insouciance enfantine. Je me rappelais vaguement que Mirka était arrivée munie d'un carnet de naissance qui incluait les noms et adresse de ses parents, et d'une lettre de sa tante expliquant pourquoi sa nièce partageait l'exil de jeunes réfugiés britanniques. Ce samedi-là, papa a rajouté certains détails. Appréhendant l'invasion allemande, les parents de Mirka avaient préféré la mettre à l'abri, l'envoyer au loin; Pauline, sœur de son père, avait offert de l'emmener à Londres où une amie, madame Davis, acceptait de les recevoir. La mère de Mirka et son frère Daniel devaient se joindre à elles, mais quelques jours après leur départ, les Allemands avaient envahi la Belgique et fermé les frontières. Peu après, la menace des bombardements ayant rendu Londres aussi dangereuse que le reste de l'Europe, la tante avait fait appel à l'organisme CORB qui se chargeait d'évacuer des enfants vers des pays plus sûrs. Elle avait demandé que Mirka soit envoyée, de préférence, au Canada et placée dans une famille parlant français. Elle ajoutait qu'elle-même devrait quitter Londres en quête de travail, mais que madame Davis aurait ses coordonnées.

Papa a informé Mirka de ses efforts pour maintenir un contact avec sa tante Pauline, toute communication avec la Belgique étant quasi impossible. Malheureusement il avait perdu sa trace. Pauline avait déménagé dans une autre ville anglaise en quête de travail, des lettres s'étaient perdues. Les sous-marins allemands infestaient l'Atlantique, il arrivait qu'un bateau coule avec le courrier qu'il transportait.

« Mirka, tu es devenue partie de notre famille et dans un sens tu le seras toujours. Mais au départ, l'entente avec l'organisme CORB était qu'on t'accueillait pour la durée de la guerre. C'est sûr que tes parents restés là-bas doivent s'inquiéter, désirer te revoir le plus tôt possible. Dans le chaos de l'après-guerre, il est possible qu'ils n'aient pas encore réussi à te retracer. Aussi pénible que ce soit pour nous, il est de mon devoir de leur écrire. C'est très dur pour moi de te dire ça, mais... »

J'étais atterrée. Le séjour de Mirka n'était qu'une entente temporaire? Elle nous avait été prêtée, il fallait la rendre? Les paroles de papa tourbillonnaient dans ma tête. Quant à Mirka, elle semblait assommée. Immobile, muette, elle laissait parler papa sans réagir. Elle a haussé les épaules.

« Ça signifie... que je devrai vous quitter?

— Notre porte te sera toujours ouverte... mais, dans un premier temps, il faut communiquer avec ta famille.

— Il le faut vraiment?

— Oui, Mirka, il le faut. »

Maman a tenté je ne sais plus quels mots de réconfort. Mais toute consolation n'était-elle pas vaine? Redevenue l'enfant rétive de ses sept ans, Mirka a secoué la tête, a refusé nos caresses. Les jours suivants, elle allait en classe, faisait assidûment ses devoirs, accomplissait à la maison les gestes habituels. Mais elle restait fermée, ne laissait entrevoir aucune faille dans sa carapace. Maman avait été choquée autrefois par sa désinvolture à la mention de son père. En revanche, si elle avait rarement évoqué sa mère, rien qu'au ton ému de sa voix, nous avions perçu son ennui et sa détresse d'avoir dû la quitter. Craignait-elle de nous peiner en exprimant sa joie de la revoir? Au contraire, le chagrin de la séparation s'était-il adouci au cours des années? Mirka s'était-elle ancrée dans notre famille au point de ne pouvoir supporter un nouvel exil? En voulait-elle à mes parents de ne pas lutter pour la garder avec nous? Sa froideur reflétait-elle un effort pour commencer à se détacher de nous? À l'époque, j'étais déroutée par son comportement. Je le vivais comme un rejet, le déni de la trève qui s'était restaurée entre nous. À mon tour je restais derrière ma façade et n'abordais que des sujets superficiels.

Il était certain que l'avenir qui s'étendait devant elle, malgré la possibilité de retrouvailles heureuses, devait lui sembler profondément angoissant. Comment re-créer une vie de famille après un hiatus de cinq ans?

✣

Avant que papa n'ouvre le courrier, j'avais reconnu le mince papier-avion bleu. Il a décacheté la lettre, l'a lue. Le visage soucieux, il l'a fait lire à maman.

«C'est de ton père. Nos lettres ont dû se croiser.

— …

— Il demande que tu retournes en Belgique.»

Maman s'est exclamée: «Ah non, c'est pas possible!», a fait asseoir Mirka près d'elle sur le sofa, la main posée sur la sienne.

«Oh ma chouette, mon pauvre trésor, ta maman….

— …

— Ta mère a été arrêtée par la Gestapo il y a deux ans, elle a été emmenée dans un camp. Elle n'en est pas revenue.

— Ça veut dire que…

— Elle est morte.

— …»

Mirka a fermé les yeux. Sur quelles images, quels souvenirs, quels adieux? Nous l'avons entourée.

«Oh mon trésor, que j'ai de la peine pour toi!» «Mirka, oh Mirka! Ma Mirka chérie, c'est affreux!» Comme si nos larmes lui donnaient la permission de pleurer, elle s'est mise à sangloter à son tour, longtemps.

«Mais si maman n'est pas là, pourquoi aller en Belgique?

— Ton père a hâte de te revoir, il mentionne ton frère, ta grand-mère…

— Pourquoi il n'a pas écrit plus tôt?

— Je suppose qu'il avait des choses à régler. Il attendait peut-être la preuve du décès de ta mère, ou il n'osait pas te l'annoncer.

— Je ne veux pas aller vivre avec lui! Voir Daniel, ça va, mais c'est tout.

— Mirka, ça me brise le cœur que tu doives partir… Légalement, j'ai peur qu'on ne puisse rien faire. C'est ton père, il a des droits. Et puis, il s'est ennuyé de toi. Il envoie de l'argent pour payer la traversée.

— J'veux pas y aller, je veux pas, je veux pas! Je vais me sauver.

— Écoute, il n'est pas question que tu traverses l'océan toute seule comme tu es venue. Je vais te reconduire. Une fois sur place, ce sera plus facile de se parler face à face, d'homme à homme. Je pourrai évaluer la situation, négocier espérons-le une entente. Disons un séjour là-bas avec la possibilité d'un retour ici selon tes désirs. Mirka…»

Papa a posé la main sur son bras.

«Mirka, sache que je vais faire tout en mon pouvoir

pour que tu sois heureuse.

— Pourquoi arrêter maman? Pourquoi l'emmener au camp de concentration? Pourquoi elle? Elle ne faisait de mal à personne.

— Ils n'avaient pas besoin de motif… Une réclamation audacieuse, une parole interprétée de travers, une accusation anonyme, une saute d'humeur… Aurait-elle joint la Résistance?

— Mon père aurait été furieux! Il lui recommandait de ne pas se montrer. "Sois discrète", qu'il répétait.

— Est-ce qu'il y aurait du sang juif dans ta famille?

— Je sais pas. Il en a jamais été question.

— Malheureusement, l'injustice… La guerre suscite des horreurs, la haine, l'envie, la lâcheté. Elle est finie, mais ses séquelles perdurent.»

Nous l'avons entourée tous trois, nous l'avons étreinte et bercée dans nos bras jusqu'à la nuit.

Il y avait cinq ans déjà que Mirka était entrée chez nous tête basse, taurillon prêt à se défendre de ces inconnus qu'elle n'avait pas choisis. Elle portait des vêtements trop courts et serrés, et traînait ses petits paquets; elle tenait contre son cœur son sac de cuir usé qui cachait quelques reliques sauvées du naufrage, reliques dont elle n'avait dévoilé le contenu que par bribes, petit Poucet retraçant d'un caillou à l'autre la route du passé: son ourson en peluche à l'oreille déchirée et raccommodée avec du sparadrap, un collier de pierreries auquel un bijoutier consulté n'avait pas accordé une grande valeur, et une lettre de sa mère. Lettre que, un soir en entrant dans notre chambre, je l'avais surprise à lire. Elle avait levé la tête. «J'ai fini.

C'est la lettre que maman m'a donnée à mon départ, juste avant que je monte dans le train, en me disant: "J'ai eu la chance d'apprendre à écrire." Pourquoi a-t-elle ajouté ça?» Fébrile, mais sans larmes, elle l'avait rangée. J'étais sortie sur la pointe des pieds. C'était son dernier trésor, l'ultime étape vers l'origine, la porte du paradis perdu.

3
1945-1946

Au retour de papa, maman et moi voulions tout savoir de son séjour en Belgique. Oui, bien sûr, le père de Mirka l'avait bien accueillie… sauf que… il s'était remarié, avec une toute jeune femme pas très enthousiaste à l'idée de se retrouver mère de famille. Le petit frère Daniel était revenu à la maison. Franz Doineau vivait confortablement sur sa ferme: «J'ai eu l'impression qu'il s'était peut-être ramassé un magot sur le marché noir!»

En arrivant, Mirka s'était exclamée: «Oh daddy! Tout semble bien plus petit qu'avant!» Si, à la campagne, les gens trouvaient à manger, le reste de la population devait se serrer la ceinture. «Je vous dis que dans les restaurants de Bruxelles, du Havre, c'était spartiate! Je suis sûr que certains s'en tirent mieux que d'autres, mais on est encore bien loin de la vie normale. L'Europe sort d'une guerre dévastatrice, les Alliés l'occupent encore. Les gens sont heureux qu'on ait chassé les Allemands, mais une armée reste une armée. J'ai été témoin d'abus de la part d'un de nos soldats : il se vantait de la montre en argent qu'il avait obtenue en échange d'une boîte de thon ! Je veux bien croire que c'est la minorité qui agit ainsi, mais ça m'a fait honte !

— Et Mirka... Elle se sent comment ? Est-elle.... heureuse de revoir les siens ?

— Elle a retrouvé son frère avec plaisir, mais ils sont devenus étrangers...

— Comment est-il ?

— Difficile à dire... Un beau petit bonhomme... l'air triste pour un enfant de neuf ans. Attaché à elle, c'est évident, mais en même temps, il me semble... un peu jaloux. De son point de vue, elle a eu la vie facile, ces dernières années : des aventures, un grand voyage, le confort... Lui a poireauté chez sa grand-mère, une femme pas plus chaleureuse qu'il faut. »

Maman s'est informée :

« As-tu appris ce qui était arrivé à la mère de Mirka ?

— Pas bavard là-dessus, le papa ! D'après lui, elle se serait liée à deux de ses frères, des vagabonds, des va-nu-pieds ! Il a fait allusion à certaines imprudences, à une "sensibilité exacerbée" : comme si l'incertitude, le départ des enfants, la guerre qui s'annonçait longue l'avaient ébranlée. Il lui avait recommandé la discrétion. "Avec les Allemands, tant qu'on ne faisait pas de vagues, on était tranquilles. Mais elle n'en a toujours fait qu'à sa tête ! Ceci est bien triste !" Malgré ses soupirs, il n'avait pas l'air désespéré, au contraire, tout fringant auprès de sa jeune poulette. Pas moyen d'en tirer plus.

« Écoute, Marion, fais pas cette tête-là ! Elle a du

ressort, notre Mirka! Ce qui importe, c'est de lui écrire fidèlement, de laisser la porte grande ouverte, de l'assurer de notre affection.»

Après m'être demandé comment je survivrais à l'absence de Mirka, le retour à l'existence sans elle me sembla paisiblement plat. Il me restait maman, papa. Je ne les appelais plus mamichou ni daddy, mots qui me rappelaient trop le vide laissé par son départ. Il me restait Claudine. Nous échangions des lettres longues et passionnées dans lesquelles nous déversions le trop-plein de nos énergies d'adolescentes. Là, toutes les folies étaient permises, les projets d'avenir audacieux comme le récit des grandes amours qui nous attendaient. Jusqu'à ce que l'amour «pour vrai» ralentisse le rythme de nos échanges et ternisse la pureté de notre amitié, du moins à mes yeux de spectatrice captive. Car c'est vers elle, l'aînée, qu'est venu l'amour. Romantique? En est-il autrement à cet âge? Éphémère, bien sûr, mais assez marquant pour altérer notre harmonie. Alors que j'aurais continué (pour combien de temps?) à livrer mes rêves de carrières fabuleuses, de voyages, d'amours irréelles, je prenais conscience qu'elle s'en détournait. Ce qu'elle vivait lui était unique et impossible à partager. Même dans cette première idylle relativement innocente, l'amant avait un visage, des lèvres, des mains qui ont fini par déchirer ses espérances. Mais on ne raconte pas le désespoir, on n'ose évoquer l'irracontable. Elle a souffert seule, s'est consolée, a recommencé sans moi.

Un temps, j'ai tenté de vivre ses bonheurs et malheurs de seconde main. En vain. N'a subsisté que la réalité de notre éloignement. Je n'ai rien mentionné à Mirka. Par dépit? Parce que je ne souhaitais pas avouer mon sentiment d'abandon? Je me reprochais de ne pas écrire plus souvent à ma sœur. Ma sœur... l'était-elle encore? Avec Claudine, du moins jusqu'à ce que sa romance vienne troubler nos échanges, je noircissais des pages et des pages sans épuiser nos sujets communs. À Mirka je ne trouvais rien à dire. Rêves d'avenir? Projets? Lectures? Elle ne réagissait pas à mes tentatives. Je me rabattais sur des nouvelles qui n'exprimaient en rien mes soucis à son sujet: visites de la parenté (qui l'indifféraient), promenades, sorties avec des amies... Là encore je refrénais mon enthousiasme. Allait-elle au cinéma? Pouvait-elle se permettre une nouvelle paire de chaussures ou une balade entre amies? Je n'osais éveiller chez elle des désirs irréalisables ou le regret de nos rituels. Je ne parvenais pas à m'imaginer quel avenir elle pouvait espérer.

Et la promesse que je m'étais faite, petite, de «rendre Mirka heureuse», qu'en était-il advenu? Au fil des ans, elle m'avait semblé moins pressante. Mais au moment de son départ, j'étais demeurée avec un profond sentiment d'incomplétude. Avait-elle emmagasiné chez nous une capacité de bonheur qui lui permette de rentrer chez son père et d'affronter l'inconnu? Un univers qui lui était devenu inconnu. Lui avais-je donné assez pour qu'elle continue de m'aimer? Comment se souviendrait-elle de moi? Je m'habituais à son absence en me rappelant que, dès sa venue, je savais que son destin était tracé, comme celui de tous les enfants réfugiés. Je me résignais à ce que nos vies se déroulent en parallèle, loin l'une de l'autre.

Soudain, un souvenir, une photo, et elle me

manquait terriblement. J'avais envie de lui écrire que je m'ennuyais d'elle, qu'en son absence, mon existence sage, sans éclats, avait perdu une part de son sel. Une pudeur m'arrêtait. Dans le besoin de «secouer la baraque», je dépassais les limites fixées par mes parents pour les sorties, les heures de rentrée, je me révoltais devant leurs propositions d'études raisonnables. «La pharmacie, la physiothérapie, offrent de belles carrières pour une femme.» «Pour une femme» me hérissait. De toute façon, je ne serais pas assujettie à un idéal bourgeois. Qu'importait l'argent! J'accomplirais de grandes choses! Je deviendrais artiste, poète, éditrice d'une revue littéraire, femme de théâtre, ethnographe, archéologue. À moins que je ne me dirige vers la haute couture! Maman s'exaspérait, papa restait calme. Au fond mes piques n'étaient que cela, des piqûres dans le tissu trop lisse du quotidien.

Puis l'imprévisible est arrivé: parti à l'aube ramasser du bois de chauffage («faire du braconnage» avait repris papa), le père de Mirka avait fait une chute («pris dans un de ses pièges?») et subi une fracture du crâne. Le temps que son entourage se rende compte de son absence et fasse des recherches, il était trop tard. Papa a été mis au courant par une lettre d'un notaire dans laquelle on lui demandait s'il acceptait de devenir tuteur de Mirka. La jeune veuve, dépassée par le drame, se sentait incapable, seule, de prendre en charge deux enfants. «Elle se doute bien que nous, on ne l'abandonnera pas, notre Mirka. Parce que la belle-mère n'était pas enchantée de la voir débarquer. Tant qu'il y avait la propriété, et le père, Mirka était utile, solide pour les gros travaux, capable avec les animaux. Maintenant… Il vaut la peine d'aller voir ce qui se passe… Ouf! Ça nous coince! Tant pis! Je vais faire un emprunt à la banque. J'envoie un télégramme. J'espère qu'ils nous l'auront pas trop maganée, notre oiseau migrateur!»

✣

Ainsi l'enfant déposée à notre porte par le souffle de la guerre pour nous être enlevée cinq ans plus tard, voici que le dieu du vent s'amusait à l'exiler de nouveau. Mirka nous est revenue un soir de neige, plus d'un an après son départ. La circulation en ville était quasi paralysée, le train d'Halifax est entré en gare avec retard. Mirka en est descendue tête nue, les cheveux courts. Elle a hésité un instant, puis elle a secoué ses boucles et elle s'est jetée dans nos bras. Elle n'avait pas beaucoup plus d'effets que la première fois, sauf que papa les avait rassemblés dans une valise solide. Les taxis étaient introuvables. Seuls les trams circulaient. Je l'ai taquinée:

«Tu t'es ennuyée de l'hiver, faut croire, pour nous revenir en pleine tempête!

— J'avais oublié comment c'était!

— Prépare-toi, ça fait rien que commencer.

— Tu sais, à mon premier hiver au Canada, j'étouffais derrière les bancs de neige, emprisonnée dans mes couvre-chaussures et mon gros manteau. Tu te souviens de nos bas de laine rouges, de nos tuques rouges…

— …des mitaines…

— …des ceinturons…

— …rouges bien entendu. On était toutes habillées pareil…

— …chaudement. Mais ça n'empêchait pas la neige de mouiller nos chaussettes et nos mitaines, il y avait constamment des lainages en train de sécher. Eh bien, crois-le ou non, je m'en suis ennuyée. L'odeur de laine mouillée, c'est une partie de notre enfance… »

Deux heures plus tard, nous sommes rentrés, fourbus. À la maison, elle a enlevé les couvre-chaussures, le béret et le manteau que nous avions pris la précaution d'apporter pour elle.

«Ah ce qu'on est bien! Au moins à l'intérieur, il fait chaud. Là-bas, les maisons sont glaciales, j'étais toujours gelée. Puis personne ne fait du bon cocoa comme mamichou.»

«Bon, les filles (ça me faisait tout drôle d'entendre à nouveau "les filles"), remettez donc les grandes conversations à demain. Mirka a besoin de repos.»

Une fois dans la chambre… Il y avait eu hésitation: partager la même chambre comme autrefois ou réaménager le petit bureau? Nous avions choisi la première solution pour son arrivée, afin qu'elle retrouve son installation familière. Plus tard, les adolescentes aimant avoir leur coin, nous avons tiré au sort: le bureau m'a été attribué. J'ai caché ma déception; finalement je l'ai décoré à mon goût et je m'y suis attachée. À l'avenir, pendant les absences de Mirka, je lui garderais sa chambre et demeurerais dans la mienne.

Ce soir-là, j'avais plein de questions en tête. Ses lettres avaient été si rares, si laconiques! Pourtant, elle ne m'a parlé que de la traversée, comme ils avaient bien mangé, comme elle avait été heureuse de voir

arriver daddy! Je soupçonne que mes parents (rede-
venus «les parents») ont, eux aussi, veillé tard dans la
nuit. Pourtant papa n'avait pas tout raconté à maman,
car tôt le lendemain matin, alors que Mirka dormait,
il a repris son récit dont j'ai surpris quelques bribes
en passant devant la porte ouverte de leur chambre.
J'avoue que, curieuse et ne voulant pas l'interrompre,
je me suis attardée sans qu'ils me voient.

«La veuve est tutrice de Daniel. Le pauvre p'tit
gars! Il avait l'air… tellement perdu. Ça me fendait
le cœur de le laisser! M'être écouté, je l'aurais ramené
avec nous. À notre âge, ce serait toute une embardée!
Au fond, c'est peut-être préférable comme ça, il a déjà
été pas mal trimballé. Tout le monde semble tenir à
lui, tandis que Mirka… D'accord c'est un petit cheval
rétif, mais elle est tellement attachante quand elle se
sent aimée! J'ai pas compris pourquoi son père l'avait
fait revenir: une dette envers sa mère? Possible que je
comprendrai jamais. Je peux te l'avouer, cet homme-
là, il m'a pas fait bonne impression. J'ai craint que…
en tout cas, j'ai été soulagé de voir une jeune épouse
dans le tableau, pis qu'il la mangeait des yeux. Ça
laissait pas grand place aux enfants, mais c'était mieux
de même. J'aurais pas voulu laisser Mirka seule avec
lui. Sa nouvelle femme n'a pas l'air intéressée aux
travaux de la ferme. Pour moi, le père cherchait des
mains supplémentaires. Elle a beau aimer le grand air,
elle a trimé dur, la petite. L'école passait après. À part
la convaincre de se laisser couper les cheveux — c'est
une ancienne coiffeuse — la belle-mère n'a pas fait
grand-chose pour sa belle-fille. Mirka était isolée, il lui
restait Daniel. Se séparer de lui, c'est une blessure de

plus. Notre pauvre pigeon voyageur… Il va falloir être patients avec elle. Les enfants devraient jamais subir des chambardements pareils. »

Troublée, j'ai filé à la cuisine. J'avais constaté la discrétion de Mirka sur son séjour en Belgique et pressenti que son silence cachait une réalité pénible. Les paroles de papa me laissaient entrevoir des épreuves plus éprouvantes encore que je ne l'avais soupçonné. Elle nous revenait avec soulagement, mais elle emportait de là-bas des souvenirs douleureux. Et il restait bien des inconnues. Dans l'après-midi, pendant que maman emmenait Mirka magasiner, j'ai tenté d'en savoir plus long.

« Et sa mère, qu'est-ce qu'il lui est arrivé, tu l'as su ?

— Là, j'ai frappé un mur. J'ai tenté d'ouvrir une brèche en emmenant Mirka dans sa famille maternelle, les Duteil : son grand-père, un oncle, Josse, et sa tante Lisette, la sœur de sa mère, une femme aimable, douce… et très discrète. À mon premier voyage, quand j'avais ramené Mirka en Belgique, elle était trop malade pour nous recevoir. Du moins, c'est ce qu'avait affirmé Franz Doineau. Mais par la suite, il ne s'est jamais donné la peine de faire une balade d'une centaine de kilomètres par un beau dimanche pour permettre à Mirka de voir la famille de sa mère. Pourtant il était fier de sa belle bagnole !

« Pendant son séjour elle était allée les visiter deux ou trois fois, je pense, quand l'oncle Josse était venu la chercher. Cette fois-ci, on a pris l'autobus, elle et moi, sous la pluie ! Mirka était contente ! Le grand-père, c'est pas qu'il soit si vieux, mais il est handicapé, il marche avec difficulté, une blessure de la Première

Guerre, il paraît. C'est évident que la tante éprouve une grande tendresse pour Mirka et pour sa sœur Marie-Lou, la mère de Mirka, morte dans un camp de concentration. Lisette est célibataire, elle a perdu son fiancé au début de la guerre. Quand j'ai abordé l'arrestation de Marie-Lou, les larmes lui sont venues aux yeux. "Hélas! Nous ignorons tout de son sort, sauf qu'elle a péri à Auschwitz, vous devinez comment." C'est tout. En savait-elle plus long qu'elle n'a laissé entendre? Voulait-elle protéger la mémoire de sa sœur, éviter de troubler Mirka? J'ai eu l'impression que Mirka aussi se taisait sur certains détails. Tout au long du voyage de retour, elle a fait des commentaires sur la vie quotidienne du bateau, bien plus agréable que ses autres traversées. Mais de son séjour? Rien. Elle n'a rien dit. Fallait-il insister? Ou l'aider à oublier?

« Chez la tante Lisette, j'ai appris l'existence de deux autres oncles de Mirka. Un est mort à Auschwitz, comme sa mère, l'autre en est revenu en mauvaise santé. Le troisième, Josse, n'a jamais été inquiété, Lisette non plus. Franz interdisait à sa femme d'entrer en contact avec les deux premiers, qu'elle voyait pourtant en cachette. Quant aux raisons pour lesquelles sa mère a été internée et exécutée, impossible de savoir. L'hypothèse du sang juif, qui expliquerait le sort des oncles et de Marie-Lou? Peut-être une branche des aïeux, une grand-mère par exemple. J'ai vu une photo de Marie-Lou: comme Mirka, elle avait les cheveux noirs bouclés et le teint sombre. Au contraire, Lisette et Josse auraient pu servir de modèle aryen aux nazis. Mais je ne suis pas un expert comme l'étaient les SS. Quelle horrible vision du monde! Quand on s'est quittés, toute la famille pleurait. Le grand-père savait bien qu'il avait peu de chances de revoir Mirka. Sa tante insistait : "Tu reviendras ? Avant trop longtemps ? Il faut qu'on se revoie ! Écris-moi." Dans quelques années, quand elle sera une jeune adulte, indépendante, elle aura l'occasion de faire un retour aux sources. Je l'encouragerai. Vous pourriez partir toutes les deux ensemble. »

⁜

Nous étions persuadés que la vie reprendrait comme avant. Un intermède d'un an et tout retomberait en place. Mirka était revenue parmi nous, peu démonstrative, mais affectueuse à sa façon. Non, pas tout à fait, elle n'était pas « parmi nous », elle était « nous » à nouveau. Nous, c'est-à-dire les Dumouchel : maman / mamichou, papa / daddy, Marion et Mirka. Pourtant, bientôt affleurèrent les absences. Assis à table, nous bavardions. Soudain, elle s'échappait, le regard concentré en elle-même. « Où es-tu ? » Elle secouait ses boucles sombres sans rien dire. Parfois maman lui demandait :
  « Est-ce qu'on peut faire quelque chose pour toi ?
  — Non merci, ça va. »
  Il arrivait qu'elle n'entende pas nos appels. Papa et maman croyaient qu'elle broyait du noir, qu'il fallait lui changer les idées. Je n'étais pas sûre. J'avais l'impression qu'elle avait besoin de ces séjours loin de nous. Elle nous était revenue sans bagages, devait-elle se dépouiller de ses souvenirs ? Entre ses absences, son comportement était normal. Sauf que c'était comme s'il y avait eu deux Mirka. Ma sœur qui participait à

nos activités communes : cinéma, magasinage, pause repos chez Morgan, dont nous adorions les sandwichs roulés, ou, les jours fastes, au neuvième chez Eaton avec maman. Et l'autre, l'inconnue qui se détachait de nous. Muette, immobile, elle se transformait en figure hiératique, semblable aux saintes des vitraux, aux madones des icônes dont le regard ne se pose jamais sur nous, mais au loin, sur un monde connu d'elles seules. Impossible de voir ce que cachait le voile dont elle s'entourait. Est-ce qu'elle broyait du noir, comme l'affirmaient nos parents ? N'attendait-elle qu'un mot, qu'un mouvement, le baiser d'un prince Charmant, pour s'éveiller de son passé ? Mais, comme dans ce cauchemar récurrent au cours duquel, pour avoir accès à mes vêtements au sortir de la piscine, je tournais en vain la flèche d'un cadenas à la recherche du nombre magique, je tâtonnais sans trouver de clef qui libérerait Mirka de son exil intérieur.

Au fil des mois, je me heurtais de plus en plus souvent, me semblait-il, à la Mirka étrangère. Alors, comme autrefois lorsqu'elle fuguait et que je me réfugiais dans la lecture, nous nous éloignions l'une de l'autre. J'étudiais, je rêvassais. Elle retrouvait au resto du coin des filles que je trouvais « excitées » auxquelles se mêlaient quelques gamins effrontés. Je ne l'attendais pas. Je partais me balader en ville, seule ou avec ma voisine. Les parents s'inquiétaient. Auraient voulu compter sur mon exemple, que je l'entraîne loin des mauvaises influences. Comment réussir là où ils échouaient ? Avait-elle aussi des absences au milieu de ses amis ? À en croire un des garçons, c'était « une drôle de fille. Des fois on dirait qu'elle est pas là. Mais elle est belle en ti-pépère!»

En entendant ces paroles, j'aurais tout donné, mes bonnes notes, mes livres, la fierté de mes parents, ma bonne conscience, ma mission de rendre Mirka heureuse, tout! pour qu'un garçon dise de moi: «Elle est belle en ti-pépère!»

Maman, qui se rendait compte que nous étions à l'âge de choisir nos vêtements, ne pouvait s'empêcher de… disons, de nous diriger dans nos choix, du moins d'essayer. Comme j'admirais son goût, j'avais tendance à suivre ses conseils, sauf dans le cas de quelques fantaisies pour lesquelles je m'entêtais. Avec Mirka, rien à faire! Elle raffolait de jupes fleuries, de blouses à la mode paysanne à volants de broderie. Quand nous sortions en famille, on aurait dit un hybride tombé du ciel. Papa ne s'en faisait pas. «J'ai toujours admiré ton élégance, dit-il à maman, et tant mieux si Marion suit tes traces. Mais de quel droit refuser à Mirka de s'habiller à sa façon? Moi, je trouve un certain charme à ses volants et à ses fanfreluches. C'est son genre, c'est elle, pourquoi vouloir la changer?»

Il n'a jamais convaincu maman du charme des choix de Mirka, mais elle a fini par accepter sa différence. Sans adopter son style, avec le temps j'en suis venue à ne pas l'imaginer autrement. Papa avait raison, pourquoi la souhaiter autre? Pourtant, la tolérance de daddy a subi un choc le jour où il a découvert le tatouage. Là elle avait dépassé les bornes. Je l'ai aperçu la première, à la piscine municipale. Une aile de papillon dépassait du maillot.

« Qu'est-ce que c'est que ça ?

— Je me suis fait tatouer un papillon sur la poitrine. C'est joli, tu ne trouves pas ? Un peu coquin, mais discret quand même.

— Tu es folle ! C'est définitif ?

— Ben… oui.

— Qui t'a fait ça ?

— Le copain de Charlotte, tu sais, le petit rouquin, il s'initie auprès d'un professionnel.

— Il s'initie ! Est-ce que son "maître" lui a accordé un certificat de compétence ? Il stérilise ses aiguilles, au moins ?

— Oh, il me semblait que t'en ferais un drame ! Ce que tu peux être emmerdante ! Tu pourrais rigoler, au lieu de prendre ta face de carême ! »

À la voir ainsi protester, je me suis mise à rire.

« C'est pas possible ! Avec toi tout peut arriver. Dans un sens, on ne s'ennuie pas ! Mais j'ai pas hâte que papa ou maman voie ça.

— Parce que tu vas t'empresser de les informer ?

— Mais non, voyons ! Mais à moins de délaisser tes blouses à froufrous pour des corsages boutonnés jusqu'au cou, il y en a un des deux, probablement maman, qui va s'en rendre compte. Bon, c'est ton problème. Promène-toi avec ton papillon ! »

C'est vrai qu'il était joli, délicat, une petite touche qui attirait le regard. Qui a attiré sur lui les foudres de notre daddy ! Ce qu'il était bleu ! La colère du père, protecteur de la vertu de ses filles. Mirka en est restée bouche bée, étonnamment repentante. Dans son inconscience, elle ne s'était pas du tout attendue à une telle explosion. Elle s'est excusée, a promis de le tenir caché, «pour que tu ne restes pas fâché contre moi.»

Il l'a regardée d'un drôle d'air, puis subitement, ses yeux se sont remplis de larmes. Je l'avais vu pleurer deux fois: au retour de mon oncle Pascal, blessé à la guerre, et quand Mirka avait dû nous quitter. «C'est que, ma noère, en voyant ton tatouage, il y a des hommes qui peuvent sauter à des conclusions fausses, sans tenir compte de ta jeunesse. Tu as été d'une imprudence! Je n'veux tellement pas qu'il t'arrive quelque malheur que ce soit. Je me sens responsable. Tu as déjà eu ton lot de difficultés.»

Il nous a attirées toutes les deux à lui, a entouré nos épaules. «Mes belles filles, je vous souhaite heureuses, bonnes, saines. Oui, vous vieillissez, vous êtes coquettes, c'est normal, vous voulez plaire. Mais restez simples et dignes avec vos copains en attendant de rencontrer un homme que vous aimerez et qui vous respectera. Regardez mamichou, les regards masculins s'attardent sur son passage, j'en suis flatté, elle jouit de sa séduction, mais elle ne se permettrait jamais une tenue ou un geste équivoque. Allez, ça va.»

Il nous a quittées brusquement, nous sommes rentrées dans nos chambres respectives sans un mot, songeuses, piteuses. Je me rendais compte à quel point l'accueil de Mirka enfant et son adoption six ans plus tard nous avait engagés pour la vie.

4
1950-1953

«Tu sais, Marion, je vais me tuer.»

Nous sommes assises sur son lit, dans sa chambre laissée intacte le temps de sa fugue. Dans un coin traînent son sac à dos, ses baskets. C'est l'après-midi. Nous sommes seules. J'ai peur. Je lui prends le bras. Chantage? Impuissance.

«Craig n'est pas le seul homme au monde. Il y en a plein d'autres qui attendent en rang dans les coulisses. Rien qu'à paraître, tu séduis.

— Pour combien de temps? Ça donne quoi de séduire pour se faire abandonner?

— Voyons! Fais claquer tes doigts! Réveille-toi et oublie Craig. C'est un vagabond. Beau garçon, d'accord, une certaine allure…

— …des yeux dans lesquels se reflétaient toutes les mers du monde… Craig, c'était une chanson: on entend un air, on suit sa direction pour mieux l'écouter, mais plus on avance, plus la musique s'envole, comme un feu follet nous entraîne, toujours plus en avant, parce qu'on ne veut pas la perdre et retrouver le silence. Il portait son regard au loin, je me collais derrière lui sur sa moto, j'aurais voulu que la route soit sans fin. J'ignorais où on roulait, on a d'abord filé vers la mer. J'avais déjà traversé l'océan, mais du navire on voit surtout la houle grise qui nous soulève, sans fin, j'en avais des nausées. Tandis que le rivage... Même en Belgique, je ne l'avais jamais vu, pourtant là-bas il n'est jamais bien éloigné. Il paraît qu'Ostende, c'est beau... Rien que le nom fait rêver. Mais là-bas, personne ne m'avait emmenée voir la mer. Alors quand je suis arrivée sur les côtes du Maine, avec ses criques, ses rochers, ses villages aux maisons grises et blanches balayées par le vent, ses plages sauvages sur lesquelles on peut marcher des heures... j'ai été éblouie... Je me suis dit que la folie que je venais de commettre en suivant mon bel Américain en valait le coup, rien que pour ce moment magique. Au fond, je pourrais encore me dire ça, que ma folie en valait la peine, malgré la suite.

«Une fois nos poumons remplis d'air marin, Craig s'est tourné vers la montagne : "Je vais te montrer le Blue Ridge", il m'a dit. On a serpenté le long de la crête, c'était le printemps, il y avait des fleurs sauvages au bord de la route ; de temps en temps un belvédère révélait un paysage extraordinaire, une immense vallée ; à nos pieds les arbres verdissaient, le ciel était gris moiré. On ne croisait à peu près personne, on aurait dit que la route était là juste pour nous, parfois on criait, on chantait à tue-tête, la réverbération de nos voix se perdait dans l'air. Ensuite il m'a parlé du désert. J'étais prête à le suivre, j'avais une envie de solitude dans une étendue sans fin, ocre sous le soleil, stérile, aride. Ou peut-être que ses paroles avaient animé en moi le désir, que j'ai été entraînée par son besoin de partir encore et encore, par les chansons nostalgiques qu'il entonnait le soir, devant la flamme qui dansait sous nos yeux...

— Où dormiez-vous ?

— Il montait la tente, faisait un feu en un tourne-main. Tu as raison, c'était... c'est un vagabond, un vrai gars de la route qui sait se débrouiller.

— Mais... de quoi viviez-vous ? Où vous arrêtiez-vous ?

— Dans des patelins qu'il connaissait, pas trop gros — pas trop de compétition, qu'il disait —, assez importants pour qu'on puisse trouver du boulot. Il mettait des affiches ou donnait quelques coups de fil, dégotait des jobs temporaires : construction, jardinage. Disons qu'il s'engageait à tondre le gazon et à tailler les haies des belles propriétés. Moi je faisais le tour des *snack-bars* et finissais par trouver quelqu'un qui avait besoin d'une *waitress*, pas trop regardant sur mon accent et sur les références. Mais on ne restait jamais longtemps. Une fois ramassé assez de sous pour se nourrir au grand air, on démarrait vers la liberté. »

Moi, jusqu'ici, je suis restée plutôt sage. Avertie par la sainte famille et les bonnes Sœurs du danger de « se laisser aller » avant le mariage, j'ai parfois remis les principes en cause, mais dans l'abstrait, sans oser les trahir. Alors une question me taraude : Mirka a donc franchi le Rubicon ? Un vieux réflexe romantique évoque Tristan et Yseult étendus chastement côte à côte, une épée entre eux. Mais je sais bien que Mirka et Craig ne sont pas Yseult et Tristan et qu'il n'y avait nulle épée dans la tente de son dieu des routes. Alors, ça s'est passé comment? Ont-ils été jusqu'au bout? N'avait-elle pas peur de tomber enceinte?

Quelque chose m'arrête, une pudeur, la crainte de violer des secrets intimes, d'en raviver le souvenir et le regret d'un paradis perdu. Je me rends compte que parler de son aventure l'apaise. Pour une fois qu'elle raconte au lieu de fuir dans le silence! J'ai peur qu'une question ne vienne ébranler sa confiance. Je me tais.

«C'était merveilleux. Ça a duré quoi… deux, trois mois? Plus? Le temps m'échappait. Je vivais dans l'instant. Lui aussi. Pourtant, pour lui déjà le présent devenait trop familier. Peu à peu, j'ai senti qu'il se tournait ailleurs. Oh! Il ne m'a pas délogée, ne m'a pas remplacée par une autre, rien d'aussi subit. On aurait dit qu'une sorte d'ennui le gagnait, ralentissait ses gestes. Il cherchait du travail à contrecœur, se plaignait des boulots. Notre routine devenait une contrainte. Il déployait la tente et allumait le feu sans entrain, il ne chantait plus, ne parlait plus du désert, restait songeur. Il retrouvait un peu de sa vivacité quand il flirtait avec les autres *waitress*, la fille des postes, n'importe qui sauf moi. Je pressentais qu'il allait me larguer. J'étais terrifiée. Est-ce qu'il allait m'abandonner en plein désert? Je m'imaginais plantée comme un poteau à côté d'un cactus. Partirait-il un jour sans dire adieu, pendant que je trimais dans un des trous où on se faisait du fric? Je rentrerais tard, l'oiseau se serait envolé. C'est fou, hein, par moments, j'aurais presque aimé ça, me débrouiller, lui montrer que je pouvais me passer de lui, faire du pouce, partir à l'aventure. Mais je savais que sans lui, sans son grand corps qui en imposait, sans son savoir-faire, je n'étais rien, rien qu'une fille perdue qui baragouinait à peine l'anglais, à la merci de Dieu sait qui… Je l'aimais encore, mais son indifférence m'était pénible.

— Comment es-tu rentrée?

— Un jour, Craig a viré sa moto en direction nord-est, on a voyagé des heures, comme s'il s'en allait vers sa délivrance. C'était bien ça, sa délivrance! J'ai commencé à reconnaître les noms sur les affiches, puis l'état de New York, les douanes canadiennes, Montréal. Il m'a demandé de préciser où se trouvait la maison. Il s'est arrêté devant, a déposé mon sac à dos sur le trottoir et m'a laissée là comme on abandonne un paquet encombrant. Oh! Il a attendu que j'aie sonné, s'est assuré qu'il y avait quelqu'un pour m'accueillir. S'il n'y avait pas eu de réponse, qu'est-ce qu'il aurait fait, je me demande. Oh, j'ai beau me dire que j'ai de la chance qu'il ne m'ait pas lâchée en plein Tennessee, c'est quand même pas drôle, Marion, d'être laissée sur le perron comme un vieux paquet dont on ne veut plus.»

Elle ne pleure pas. Quand l'ai-je vue pleurer? Lorsqu'elle a appris la mort de sa mère et qu'elle a été obligée de retourner en Belgique. Depuis? Une ou deux fois, de rage devant l'intransigeance de papa sur les heures de rentrée. En ce moment, elle est calme.

«Lui, au moins, il ne m'a pas expédiée en train comme mon père l'avait fait. S'il ne m'avait pas ramenée jusqu'au seuil de la porte, est-ce que j'aurais osé revenir?

— On serait encore fous d'inquiétude à ton sujet. La nuit de ton retour, je me suis endormie sans tarder pour la première fois depuis ton départ.

— J'ai déçu tes parents, je les ai déçus profondément.»

«Tes parents», non pas «les parents».

«Déçus, c'est sûr. Comment t'expliquer? Pour eux, ce qui vient de se passer, c'est le monde à l'envers. Ils sont déçus de toi, déçus d'eux-mêmes surtout. De ne pas avoir été capables de te protéger. Ils ont endossé la responsabilité de t'accueillir, de t'adopter, de t'élever. Tu es devenue une adulte en âge de te marier, dans leur tête tu es restée l'enfant qu'ils ont le devoir de guider, d'éduquer, quitte à imposer leurs principes. Leur faire accepter qu'on devient des personnes indépendantes d'eux, c'est pas facile. Il faut dire que là, tu as coupé le cordon, si on peut employer l'expression, de façon dramatique. Qui leur a fait mal. N'oublie pas qu'on était sans nouvelles, on pouvait imaginer les pires scénarios, et quand je dis les pires…»

Au souvenir des terreurs que je ne confiais à personne — vision de son corps blessé, torturé peut-être, jeté dans un fossé —, je dois me fermer les yeux et respirer pour ne pas pleurer.

«Ils étaient rongés par l'incertitude. C'est pas le mot gribouillé avant ton départ qui les aurait rassurés. Ah! je l'oublierai jamais: "J'ai un goût de voyage, je profite d'une occasion unique, ne vous en faites pas, je reviendrai." Je me rappelle même les fautes d'orthographe. Tu te souviens, plus jeunes, quand on rentrait passé l'heure, comme daddy se fâchait? Tu réagissais plus que moi, je sentais au tremblement de sa voix qu'il était surtout inquiet. C'est pareil. Quand, en plein cauchemar, ils t'ont aperçue là, à la porte, inconsciente de ce que t'avais provoqué, le nez en l'air comme si tu revenais d'une excursion de fin de semaine, ils ont été déroutés. Déchirés entre la colère et le soulagement que le mauvais rêve soit terminé. Tu nous tombes du ciel et tu crois que tout sera comme avant? Tout sera comme avant, mais il faut être patiente, laisser faire le temps.»

⁜

Pour maman, la fugue de Mirka a servi de test ultime. Après dix ans de dévouement, d'efforts pour enter la branche rebelle, pour accepter une enfant au comportement imprévisible, primesautier, déconcertant, après les accommodements au jour le jour, le départ de Mirka avec un motard inconnu était une gifle, le déni des sacrifices et des espoirs. Ces dernières années Mirka avait, sinon repris goût à l'étude, du moins réussi convenablement ses classes. Elle projetait devenir hôtesse de l'air. Et voilà qu'elle abandonnait l'école deux mois avant la fin de l'année scolaire! Quelle sorte d'existence l'attendait auprès d'un nomade? Elle avait emmené Craig deux fois à la maison. J'ignore où elle l'avait rencontré. Il était relativement poli, sans l'insolence puérile de ses autres cavaliers. L'expérience acquise sur la route faisait de lui un fascinant causeur. Les parents avaient eu une impression favorable, tout en le considérant comme un passant. Jusqu'ici Mirka n'avait manifesté aucun attachement à un seul copain; son inconstance les rassurait. De Craig Poulin, ils avaient retenu le nom de famille à cause de sa résonance française. Ils ignoraient son adresse. Avait-il une adresse? «Maudite moto, on aurait dû se méfier!» Ils auraient dû aussi se méfier des qualités du jeune homme : son aisance, sa façon d'évoquer le charme de la route, les levers de soleil sur la mer, le défi des montées en lacets, la chanson qui balaie les blés. Qui d'autre avait tenu à Mirka de tels discours ? Dans une langue si pittoresque ? Franco-Américain, il s'exprimait en un français parsemé ça et là d'expressions anglaises, un français qui conjuguait bizarrement des intonations parisiennes acquises à l'école des Sœurs et des accents de la Beauce appris sur les genoux maternels. Je me rappelle sa taille de cow-boy, sa peau bronzée, ses lèvres sensuelles au pli un peu ironique, ses yeux verts. S'il m'avait porté le même regard qu'à Mirka, aurais-je résisté, me serais-je persuadée qu'avec lui m'attendait une griserie qui valait toutes les folies ?

Je ne tiens pas trop rigueur à ma sœur de sa fugue. Ce que j'ai du mal à accepter, c'est son silence. Trois mois dans l'attente d'un mot, d'un appel. Blessée dans son orgueil, maman a préféré raconter à la ronde que Mirka, à la suite de mauvaises nouvelles, avait dû partir en Belgique pour une période non définie. Maintenant, Mirka doit répondre aux questions des tantes, cousins, voisins. Elle est vexée de ce mensonge, mais joue le jeu pour se racheter.

Pauvre maman ! Mirka serait revenue avec un certificat de mariage dûment signé par un curé qu'elle aurait eu moins de réticences. Un mari envolé a beau être une tragédie, l'honneur aurait été sauf. Mais Mirka est revenue sans attaches et maman a été obligée de prendre la plus lourde décision de sa vie. Plus lourde encore que celle d'accueillir une petite réfugiée de sept ans. Une enfant, on l'élève et la guide. Mais quand l'enfant vous échappe et que les actions de l'adulte trahissent votre foi et vos principes, faut-il accepter, pardonner, recommencer? Je suis sûre qu'elle a prié, je sais qu'elle a consulté un cousin franciscain qui a sa confiance. C'est un sage. Il a dû lui conseiller la véritable vertu chrétienne. Elle n'a pas fait de grandes déclarations, mais peu à peu j'ai remarqué qu'elle reprenait envers Mirka les attentions d'avant, comme de faire son gâteau préféré, de l'emmener magasiner et de lui acheter un vêtement à son goût (celui de Mirka!). Papa aussi a trouvé l'expérience pénible. Il a sûrement lutté entre l'envie de la prendre dans ses bras et la tentation de la reprimander. Après ses mises en garde! Mais la conscience du contexte dans lequel Mirka avait vécu ses premières années, des influences inconnues qui avaient pu la marquer, lui a permis peut-être de relativiser l'aventure. Comment la juger selon nos exigences? L'important était qu'elle soit là, saine, sauve. Et Dieu merci il n'y avait pas eu de mariage «à la chaumine» qui la lierait à jamais!

Je me disais qu'avec le temps, l'épisode tomberait dans les limbes d'un passé familial révolu, dépassé, un de ces drames dont on se demande pourquoi il nous a fait tant pleurer, un squelette oublié dans un placard que plus personne n'évoque.

«Tu sais, je vais me tuer.» Voici qu'elle vient de m'assommer.

«Chassée» de Belgique à sept ans (c'est ainsi qu'elle avait perçu la décision de son père), jouet des allers-retours qui avaient suivi la guerre, larguée par l'homme aimé avec la fougue d'un premier amour qu'elle croyait éternel, elle n'a plus que nous, sa vraie famille, comme elle nous avait baptisés. Mais la bouée que nous croyions être pour elle, cette bouée n'a pas rempli son rôle. La fille prodigue est de nouveau accueillie à notre table et partage nos repas, mais nous n'avons pas invité la parenté ni le voisinage à un banquet d'honneur.

Qu'avons-nous fait? Ou plutôt, que n'avons-nous pas fait? Comment l'aider? Pour toute réponse, je balbutie des clichés alors que je voudrais crier: «Non! Non! Pas ça! Pars si tu veux mais reviens!» Comment me rendre jusqu'à elle? J'ai écouté le récit de son odyssée, espérant que la douceur de la nostalgie rende moins aiguë la douleur de l'abandon. «Il m'a laissée sur le perron comme un vieux paquet.»

«Comme un petit oiseau», avait dit maman autrefois. Je la prends par l'épaule: «Notre oiseau, t'es notre oiseau, toujours prête à partir. C'est pas qu'on veuille te garder en cage... mais quand on ne t'entend pas chanter, il y a trop de silence dans la maison. Il s'agit de... oh! c'est pas la peine! C'est pas le temps des mises au point, il faut tourner la page. Pense à ton projet de devenir hôtesse de l'air. Souviens-toi comme la lecture de *Terre des hommes* t'avait emballée! Imagine, tu pourrais t'envoler à ton goût, voyager dans le monde entier! Sans oublier tous les séduisants pilotes, pense aux beaux jours qui t'attendent.»

Elle sourit à demi, pour me faire plaisir. «O.K., je vais reprendre mes cours, tâcher de m'encourager avec la perspective de séduire un nouveau Guillaumet ou un jeune Saint-Ex.»

N'empêche. À la suite de notre entretien, mes nuits redeviennent agitées, je suis hantée par la peur qu'elle mette son projet à exécution. Comment? En se jetant sous les roues d'une voiture ? Trop risqué de rater son coup. Le gaz ? Les lames de rasoir aux poignets ? Plus accessible. Je n'ose plus la laisser seule à la maison, je jongle avec des prétextes plausibles pour annuler une sortie au dernier moment. Elle finit par passer ses examens avec succès à la reprise d'août et s'inscrit au cours d'infirmière requis des hôtesses. Le temps passe. Puis un jour l'oiseau bat des ailes, d'abord sur de courtes envolées Montréal-Québec-Ottawa. Ce n'est qu'un début. Le monde l'attend.

❖

Comme autrefois lorsque j'espérais en vain des nouvelles de Belgique, elle écrit peu à ce qui lui reste de famille là-bas. Elle n'a qu'un contact de plus en plus sporadique avec son frère Daniel, mais correspond encore avec sa tante Lisette, la sœur de sa mère. Sa dernière lettre l'inquiète.

« Elle craint de ne plus me revoir. Elle se sent de moins en moins bien, mais elle ne donne pas de précision. Cancer ? Comme ma grand-mère… Depuis la mort de grand-père, rien ne va. Son écriture n'est plus la même, c'est un signe…

— Écoute, lui dit papa, tu ne vas pas attendre un poste sur les vols internationaux. Tu dois aller voir ta tante. Demande un congé et pars le plus tôt possible. »

Nous avions déjà évoqué la possibilité d'aller en Europe ensemble. Même s'il ne s'agit pas d'un voyage d'agrément, j'aimerais l'accompagner, mais je suis en période d'examens. Peut-être vaut-il mieux qu'elle soit seule pour accomplir ce pèlerinage et faire ses adieux ? En lui offrant le voyage, en plus d'obéir à sa conviction qu'il est important pour Mirka de ne pas couper les ponts avec sa famille d'origine, papa, tacitement, tente d'effacer les malentendus et les malaises. En lui enjoignant de partir, il lui témoigne sa confiance. Une seule recommandation, sourire en coin : ne pas négliger de nous tenir au courant. Maman, oubliant que Mirka avait pris de bien plus grands risques que celui de traverser l'océan, ne peut s'empêcher de lui répéter, en larmes, de « faire attention et de ne pas se lier avec des inconnus ».

Mirka est revenue deux mois plus tard, six semaines après les funérailles de sa tante. Pourquoi tant tarder ? Les affaires à régler l'exigeaient-elles ? Son silence cache-t-il la présence d'un autre Craig là-bas ? Elle nous a écrit deux fois : pour nous annoncer le décès et, plus tard, sa date d'arrivée.

« C'est fini maintenant. Je n'y retournerai plus. » Ses premières paroles au retour. Papa lui a mis la main sur le bras. « Je doute qu'on puisse couper brutalement avec le passé. Il a le don d'envahir un coin de la mémoire. Comment prévoir ? Tu auras peut-être envie un jour... » Elle a secoué la tête.

« Et ton frère Daniel, comment va-t-il ?

— Oh Daniel.... Si on lui posait la question, il répondrait qu'il va très bien. »

Elle n'a rien ajouté, a repris ses activités. Sans élan. Elle s'était animée lors des premières envolées et semblait avoir oublié la fin malheureuse de sa fugue. À nouveau je l'observe sombre, songeuse, impatiente. Ses absences ont repris, plus longues, plus fréquentes. Nos appels les plus tendres se perdent dans son silence. Certains jours de congé, elle monte dans les Laurentides, où, entre deux envolées, un chalet sert de halte pour les pilotes et hôtesses de la Trans-Canada Airlines (qui deviendra plus tard Air Canada). Ceux d'Air France ne sont pas loin : une bonne occasion de fraterniser. Mes parents s'en font — Dieu sait jusqu'où va la fraternisation —, mais au souvenir de Craig et des quasi-voyous qui lui tournaient autour à l'adolescence ils se consolent en se disant que ses nouveaux copains sont plus fréquentables.

Ce matin, je suis entrée dans sa chambre rapporter un vêtement que je lui avais chipé (ça nous arrive à toutes deux malgré nos goûts différents). Elle est partie depuis deux jours. Sur son pupitre, j'ai aperçu une chemise qui contenait une pile de feuilles. Maintenue par un ânon d'albâtre, une note : «À ne lire qu'après ma mort.» Soudaine sensation que mon sang se retire de mon corps, se répand à mes pieds. Je me retrouve — je la retrouve — dans la même conjoncture qu'à la suite de sa malencontreuse aventure avec Craig, comme si rien ne s'était passé, ni son semblant d'existence normale comme étudiante et jeune hôtesse, ni son voyage interminable. Je suis à nouveau dans sa chambre. «Tu sais, je vais me tuer.» Elle était alors à mes côtés, désespérée, mais encore chaude, vivante. Maintenant je suis seule face à son message. Est-ce un appel au secours ? Pourvu qu'il ne soit pas trop tard !

❖

Si, Marion, il est trop tard. Je suis rendue au-delà de tes appels. L'eau monte jusqu'à mes chevilles, mes genoux, mes cuisses. Glacée. Pause. Respirer. Encore un peu. Une brise. Fermer les yeux. Parfum de sapin, de cèdre. Au loin, le cri d'un enfant. Revenir? Revenir, ce serait… le va-et-vient du matin au chalet, toasts et café. Aurais-je le temps d'enlever ma jupe trempée et d'éviter les questions? Que raconter à ces camarades de hasard? Revenir, ce serait l'odeur de la forêt, le craquement du bois dans la cheminée. Je pense à votre peine, Marion, mamichou, daddy, à mon ingratitude. Mais ne serait-il pas plus ingrat de vous revenir? N'ai-je pas été, partout où je suis passée, trop lourde à porter? Cette part de moi qui est en moi et que je ne comprends pas… Je ne sais plus si je suis d'ici ou de là-bas… Maman, pourquoi tu ne m'as pas attendue? Tu aurais pu te cacher, «rester discrète», comme te le recommandait Franz, attendre la fin de la guerre. Hiberner. Mais tu n'étais pas de ceux qui hibernent. Tu as pris la route, tu t'es perdue dans la nuit. Je t'ai perdue. Tu n'étais pas beaucoup plus vieille que je le suis maintenant lorsqu'on t'a poussée vers les douches, tu as crié sans doute, jusqu'à ce que la brûlure t'inonde. Ce matin je vais à ta rencontre. Encore quelques pas, quelques frissons. Le fluide glacé pénètre mon nez, me chauffe les yeux. L'eau pénètre mes poumons, me brûle. Il me reste un souffle, un dernier. Oh que je n'aime pas l'eau! Pour mourir on devrait choisir une alliée. Peut-être est-ce bien ainsi, d'une ennemie je me fais une amie, puisqu'elle m'offre la délivrance.

✥

J'aurais dû être plus rusée, remplir mes poches de cailloux. J'y suis allée sans me préparer, comptant sur le poids de mes vêtements pour m'entraîner au fond. Ce garçon qui passait par là m'a sauvée de la noyade. Quelle idée de se balader si tôt! Ce n'est pas un maître-nageur, juste un voisin qui se baigne au lac parfois. Et qui redoute l'eau froide, il me l'a laissé entendre. Ça n'a pas dû être facile, dans l'eau glacée, avec ma jupe qui me collait aux jambes. Quand il m'a aperçue, il ignorait depuis combien de temps j'étais là.

Je regarde mon sauveur, je lui en veux. J'étais bien, déjà je ne sentais plus rien. Voici qu'il faut reprendre à zéro, subir les questionnements. Il se penche sur moi, j'ai envie de battre des poings sur sa poitrine. Je n'en ai pas la force. Il parle, se présente: «Robert Ferry.» J'entends: «Amis... Parents... Avertir... Pas rester comme ça.» Je ne réponds pas. Je suis dans un chalet. Il n'y a personne d'autre. C'est un garçon mince, pâle, qui frissonne encore sous son pull, les yeux bleus troublés, les lèvres nerveuses; ses cheveux mouillés font ressortir ses oreilles.

A-t-il posé ses lèvres sur les miennes pour m'administrer la respiration artificielle? Ai-je vomi? Vague souvenir d'avoir été transportée. Je remarque qu'il m'a recouverte d'un grand plaid. «C'est le chalet de mes parents, ils arrivent ce soir. Es-tu avec les hôtesses de l'air à côté?» Il farfouille dans un meuble, revient avec une bouteille de liquide coloré qu'il verse dans un verre. «Du cognac.» Aussi bien boire. C'est foutu maintenant.

Il faut me lever, me préparer à taire la vérité. À toi, Marion, un jour je dirai tout. Je sais que tu accourras bientôt, alertée par ce jeune homme. Au chalet que je partage avec des camarades, je jouerai la comédie du faux pas au bout du quai. Toi, tu sauras. Tu as souvent couvert mes fredaines. Cette fois, c'est te demander beaucoup, mais tu le feras pour épargner mamichou et daddy. Tu seras reconnaissante à Robert, éperdument, nous échangerons nos numéros de téléphone. Je préfère ne pas le revoir. Sa voix, son regard empressé, me rappelleraient mon échec. Nous rentrerons sans rien dire. N'ouvre pas, je t'en prie, le manuscrit que j'ai laissé sur le bureau. Si j'arrive un jour à concilier les héritages qui tourbillonnent dans ma tête, je lui donnerai une structure. Pour le moment ils m'étouffent, ces héritages que j'ai tenté de fuir.

5
1960-1965

La vision de Clara dans les bras de sa mère a balayé mes inquiétudes. Il est des trésors qui font vivre. Mirka était lumineuse, tout entière concentrée sur la blondeur et la fragilité du poupon qui entrouvrait les lèvres. « Regardez son duvet blond, soyeux. Tu es belle, mon amour, que tu es belle ! » Elle nous a ignorés un long moment, puis a souri à son mari, qui, maladroit, n'osait interrompre l'instant de grâce. Enfin ! Mirka heureuse, les arrière-pensées effacées ! Son émerveillement m'enveloppait, je me sentais plus que jamais porteuse de joie. Dans quelques mois, je serais ainsi ? J'aurais à mon tour un bébé au nez plissé dont on dirait : « Il, ou elle, a ton nez, les yeux et les oreilles de Robert. » Affirmations qui tiennent autant de nos désirs que de la réalité, mais nous confortent dans la continuité des liens. Mon bébé, si je me fiais au rythme de ses mouvements en moi, serait un enfant sage, mais volontaire. L'intuition s'est réalisée : ma Sophie est devenue une femme raisonnable, ma « petite matheuse » qui a délaissé ses études de musique pour devenir enseignante de mathématiques, mais qui, entre ses escapades de vacances, joue du violoncelle à temps perdu. Clara, elle, fouillait déjà l'environnement de son regard mobile, luttait de ses poings contre l'air ambiant, exsudait une fébrilité qui ferait son charme, dérouterait les tièdes. Pour le moment, elle se berçait dans l'attention de tous.

Le papa avait l'air de se demander ce qui lui arrivait, il était tout drôle avec ses cheveux clairs hirsutes, sa barbe mal rasée, vêtu d'un jean et d'un pull enfilés en hâte. Je me demandais s'il entrerait dans la paternité avec la sérénité et la joie que la maternité apportait à sa jeune femme. Les sourcils en accent circonflexe, le sourire en coin sur son masque légèrement clownesque, il contemplait la scène. Il a tendu les bras, a soulevé la petite Clara avec le soin que prendrait Robert pour manipuler un manuscrit en danger de s'effriter. Quand elle s'est mise à pleurer, il est resté raide, sans respirer, les yeux ronds et désespérés. Mirka a ri, a posé l'enfant contre son sein; avant même de téter, le bébé avait recouvré son calme.

Une période faste commençait. Après sa noyade ratée, Mirka avait soulevé bien des passions, en avait éprouvé un plus grand nombre. Chaque fois, j'étais prise d'une angoisse qu'elle devinait et s'empressait d'apaiser. «Voyons, Marion, je ne vais pas me suicider pour un pareil idiot!» Ou un pareil ingrat. Ou ce petit prétentieux. Mais il n'y avait eu ni ingrat ni idiot lorsqu'elle s'était engagée dans l'eau du lac avec l'intention d'y sombrer. À l'origine était tapi un chagrin plus secret, insidieux. Même lorsqu'elle était tombée amoureuse d'Alex, amour réciproque et heureux, même alors je conservais une pointe de scepticisme. N'était-elle pas séduite par l'exotisme d'Alex, son Sachenka, par le dissident auréolé du genre d'exploits qui font battre le cœur des femmes, par son côté blagueur, son visage clownesque, son regard surpris et interrogateur, ses lèvres mobiles et ironiques? Et lui, s'attachait-il à la première fille rencontrée au Canada (vraiment la première, puisqu'il l'avait remarquée dans l'avion qui l'emmenait vers sa vie nouvelle), celle qui le consolerait de la nostalgie et comblerait sa solitude? Au bout de quatre, cinq ans de vie commune, l'éblouissement mutuel persisterait-il?

Je projetais peut-être sur leurs amours naissantes mes propres incertitudes. J'avais rompu deux fois ce qu'on appelait des « fréquentations sérieuses »; quelques autres, plus superficielles, s'étaient révélées éphémères. Certaines conclusions m'avaient blessée. Nées dans l'enthousiasme d'un béguin, elles s'étaient éteintes dans la déception: l'intérêt du garçon avait été passager, s'était effrité dans l'indifférence et le silence. Il ne donnait plus signe de vie ou je le voyais au bras d'une autre; il est même arrivé que l'autre soit Mirka. Si lui persistait, je finissais par éluder ses avances, même s'il parlait mariage. Surtout s'il parlait mariage? J'avais été attirée au début, mais non, je n'étais pas vraiment amoureuse, je ne me voyais pas passer le reste de ma vie avec Pierre, ou Jean ou Jacques. Trop romantique? Capricieuse? De quoi avais-je peur? Je m'en voulais, j'en voulais au destin.

J'enviais à Mirka sa facilité à prendre flamme; quand la flamme s'éteignait, ma jalousie tombait. Cette fois, elle persistait et je perdais mes repères. J'avais été le témoin raisonnable de ses folies passagères, voici que mes petites histoires paraissaient fades à côté de la grande flambée. «Et moi?», susurrait une petite voix que je n'aimais pas. Je doutais de leurs chances de bonheur parce que je ne faisais pas confiance aux miennes.

Mirka connaissait Alex depuis quelques mois lorsque mes soucis à leur sujet sont passés à l'arrière-plan. Cette année-là, j'avais été forcée par les circonstances d'enseigner un cours d'histoire qui dépassait ma spécialité de français et avait exigé beaucoup de travail. À l'examen final, je faisais partie de l'équipe des correcteurs. J'étais jumelée à Robert Ferry. Nous nous sommes reconnus tout de suite: deux témoins d'une noyade lointaine. Je me rappelais ma première impression lorsque j'étais arrivée au chalet ce matin-là: un jeune homme pâle, aux cheveux humides plaqués sur le crâne, que la nervosité rendait intarissable. Je l'avais revu lorsque les parents avaient insisté pour inviter et remercier le sauveur de Mirka. Ils croyaient à un accident. Ou faisaient-ils semblant d'y croire pour m'épargner? Nous avions tendance à nous taire pour nous protéger mutuellement. J'avais trouvé Robert sympathique, mais j'étais trop ébranlée par le drame pour m'attarder à lui. Un fond romanesque m'aurait fait imaginer une idylle entre la victime et son sauveteur. Dans tout conte qui se respecte, le vaillant chevalier n'épouse-t-il pas la belle qu'il a délivrée? Mais dans l'esprit de Mirka, Robert lui rappelait trop le souvenir de l'eau glacée et son retour obligé à la vie. «T'en fais pas, je ne vais pas recommencer, c'était trop pénible, avait-elle murmuré. Mais qu'est-ce qu'il avait d'affaire à se promener si tôt le matin? Il aurait dû me laisser là, ce serait fini. Organise-toi, je ne veux plus le revoir. »

En jeune fille bien élevée, j'avais remercié Robert en long et en large, j'avais excusé auprès de lui le comportement de Mirka en faisant valoir son désarroi. Je ne m'en souvenais pas, c'est Robert qui me l'a appris au cours de la pause-midi. «Tu étais bouleversée. J'aurais aimé te revoir, mais…» Nous étions passés au *tu*. Notre travail et nos passions ont vite animé nos conversations: son intérêt pour l'histoire du Moyen Âge, mon amour de la littérature, notre enthousiasme commun pour les films européens. Au début, je me demandais s'il était marié. Il ne portait pas de jonc. Si je me posais la question, c'était signe que… Il a laissé échapper qu'en fait de popote, son colocataire et lui se débrouillaient bien pour deux célibataires. Ouf! Pour un peu, j'aurais sauté de joie. Il m'a invitée au cinéma voir *Le septième sceau* et nous avons poursuivi la soirée au restaurant. Était-ce l'ombre de la mort omniprésente dans le film? Autour d'un gâteau et café il m'a demandé: «Ta sœur, c'était pas un accident, hein? J'ai eu des doutes… Excuse-moi, ça ne me regarde pas… Oublie ça.»

Comment oublier? Jusqu'ici j'avais gardé le secret: même à Claudine j'avais joué la comédie. Mais Robert était là, il avait deviné… Est-ce que ça ne le regardait pas, de savoir pourquoi elle lui manifestait si peu de gratitude? Oui, ça le regardait… parce que déjà ce qui me concernait le regardait. Je me rendais compte à quel point Mirka était présente, pesante, dans ma vie. Comment parler de moi sans parler d'elle?

«Tu sais, Mirka… Mirka n'est pas ma vraie sœur,

enfin je la considère, je l'aime comme si c'était ma sœur, mais en réalité elle est venue chez nous avec la guerre…» Et j'ai raconté, j'ai tout raconté : son arrivée, nos incompréhensions, nos conflits, ses mystères, mon désir naïf de la rendre heureuse, de la sauver. «Et tu vois, quelle ironie! C'est toi qui l'as sauvée! Comme le chevalier du film, tu as gagné un duel contre la Mort!» À mesure que je parlais, une fatigue accumulée depuis longtemps s'allégeait. J'ai poursuivi mon récit : mes efforts, ses départs et ses retours, l'affection qui nous unissait par-delà nos différends, ses absences, ses idées suicidaires, mes angoisses, mes espoirs inquiets.

«Mais, Marion, tu me dis qu'elle est en amour, que… Alex semble attentif, amoureux en retour. Si elle se trompe, tu n'y peux rien. Je l'ai "sauvée", par hasard, d'un moment de folie ; Dieu merci je passais par là. J'ai agi comme n'importe qui aurait agi à ma place. J'ose espérer qu'elle ne m'en veut plus! Mais toi, combien de fois l'as-tu sauvée à ta façon? Tu ne trouves pas que tu devrais la laisser aller? Ça suffit, non? Maintenant… si on parlait de nous deux?»

Ainsi commença la première étape du plus beau de mes voyages.

Robert était persuadé que Mirka ne lui tiendrait plus rigueur de l'avoir délivrée de la noyade. Toute à l'élan de mon amour, j'avais hâte de partager la bonne nouvelle. Désolante surprise! En entendant le nom de mon ami Mirka a tressailli : «Je t'avais dit que je ne voulais plus le revoir! C'est un épisode de ma vie que je préfère oublier. N'importe qui d'autre, mais pas lui.»

Je suis restée bouche bée, j'ai essayé de comprendre.

Qu'elle soit ébranlée à ce point! J'ai bafouillé «on ver-ra» et laissé passer deux jours, le temps qu'elle digère la chose. Elle s'entêtait. J'ai fait valoir ses projets avec Alex, plaidé que dans cette perspective elle ne pouvait plus en vouloir à Robert, que moi aussi j'avais droit à mes sentiments. Enfin, les mains sur les hanches, plantée devant elle: «Écoute, Mirka Doineau, il n'y a aucune raison que je plaque l'homme que j'aime à cause de tes vieilles folies et des états d'âme que ma-dame tient à préserver. Pour ce qui est de tes malheurs, j'ai déjà donné. Rien ne me fera changer d'idée.»

Je suis partie le cœur battant. Pourquoi fallait-il qu'elle gâte tout? Pourquoi était-elle entrée dans ma vie, je ne serais jamais tranquille?

Elle a fait preuve de résistance, la Mirka! Elle en a mis du temps avant de se réconcilier à l'idée que son sauveur devienne son beau-frère! Même à notre mariage, elle restait sur sa réserve. Pas question qu'el-le descende l'allée comme demoiselle d'honneur! Je n'aurais pas osé le lui proposer, d'ailleurs je n'en avais pas envie. La fille de Claudine, toute sérieuse du haut de ses quatre ans, faisait une charmante bouquetière.

Mirka était-elle frustrée (voire jalouse?) de devoir attendre son tour? C'était avant l'époque des mariages étudiants: Alex, qui avait fait des études de chimie en Tchécoslovaquie, devait obtenir au Canada les équiva-lences de son diplôme. Trop fier et traditionaliste pour vivre aux dépens d'une épouse au travail, il n'était pas question pour lui de s'établir avant de terminer ses études; il comptait rembourser rapidement ses dettes envers son frère aîné, qui habitait Toronto.

Le froid entre nous a tiédi. Robert n'a jamais fait

allusion au passé, Mirka s'est habituée à sa présence. Papa et maman ont vite compris que nous ne voulions plus mentionner son vieil exploit. Nous avons cessé d'en parler, des projets plus intéressants nous attendaient.

Alex a fini par obtenir un poste de chimiste dans une compagnie de textiles et les préparatifs de leur mariage sont allés bon train. Mirka s'opposait à une grande noce; seuls tante Clémence, oncle Auguste, Julie, Claudine et sa famille se sont joints au noyau Dumouchel qui incluait Robert. Du côté d'Alex, son frère est venu assister au mariage et agir comme témoin.

J'observais Mirka dans la robe de mariée qu'elle avait choisie non pas blanche, mais jaune, de longueur *midi* comme on disait alors, volants à l'épaule et jupe soulevée par nombre de jupons, dont la couleur faisait ressortir l'ambre de son teint et la splendeur de sa chevelure. Je m'amusais à l'imaginer à ses noces d'or: grassette mais droite, les cheveux blancs... courts? Impossible! Elle les avait fait couper en Belgique après que sa jeune belle-mère, une ancienne coiffeuse, l'eût persuadée de tenter un changement. Mais elle avait refusé de les porter courts à nouveau malgré nos compliments. Dans cinquante ans, blanchie, aurait-elle toujours sa longue chevelure indocile? Porterait-elle une jupe à crinoline et ses froufrous bien-aimés? Le mariage durerait-il cinquante ans?

Je pesais les chances de bonheur du couple. Alex resterait-il le héros romantique, ou le temps dévoilerait-il chez lui plus de failles que de patine? Il avait un côté difficile, chipoteur, tranchant, qui me faisait peur.

Mirka acceptait mal quelque contrainte que ce soit. Ses rébellions entraîneraient-elles des scènes, des conflits dont les deux sortiraient blessés et pleins de rancune?

À notre surprise, notre taurillon ne s'est pas lancé tête première dans la muleta qu'agitait son mari. Il la guidait sur la façon d'émincer les légumes (pour sauver du temps), de plier le linge (selon la technique de sa mère), tout en se gardant de le faire lui-même. Elle acceptait tout, sous prétexte qu'elle devait devenir une maîtresse de maison émérite puisqu'elle avait quitté son travail. Elle n'avait pas eu le choix: à l'époque, une hôtesse de l'air, comme on disait alors, devait être belle, ce que Mirka était, mince (on les pesait, mais elle surveillait son poids), ne pas porter de lunettes et demeurer célibataire. D'ailleurs, Alex aurait-il accepté que sa jeune épouse se balade en pays lointain avec Dieu sait qui, au lieu d'accueillir son bien-aimé fourbu et affamé à la fin de sa longue journée de travail? Je n'en revenais pas de voir Mirka, si volontaire, se soumettre à ses diktats avec un regard adorateur. Je ne voudrais pas noircir Alex. Son côté autoritaire était soutenu par les mœurs de l'époque et la tradition européenne. La plupart des garçons de notre âge prévoyaient épouser une ménagère accomplie qui évoluerait en mère dévouée. Alex s'attendait à beaucoup de la part de sa femme, mais il lui rendait son amour, lui achetait des roses à leurs anniversaires, des bijoux à un coût au-dessus de son budget, l'emmenait au cinéma et en voyage tous les week-ends. Ils partaient sur sa moto au hasard, Mirka retrouvait la griserie de la route tout en étant sûre de ne pas rentrer seule. Elle admirait son ardeur au travail et son courage: résolu à se libérer du joug communiste, Alex s'était évadé de Tchécoslovaquie en suivant des pistes dans les bois au péril de sa vie. Les récits de héros qui fuyaient la tyrannie soviétique ont peuplé notre jeunesse. Après un passage par l'Autriche et un court séjour en France, il s'était établi à Montréal et, ses études terminées grâce à la solidarité familiale, il poursuivait une carrière honorable. Lorsqu'elle s'est trouvée enceinte, il était fou de joie ; il n'était pas assez vieux jeu pour être déçu que le bébé soit une fille. Au contraire, s'il n'allait pas jusqu'à changer les couches, il se hasardait à pouponner.

Au bout de quatre ou cinq ans, j'ai commencé à noter chez ma sœur une impatience nouvelle. Lorsque son mari lui expliquait comment bien faire les choses, elle soupirait, haussait les épaules derrière son dos et faisait à sa tête sans rien dire. Il rêvait d'un chalet isolé au bord d'un lac : un bonheur aussi sédentaire comblerait-il les désirs de Mirka ? C'était au-dessus de leurs moyens. La solution d'Alex : construire le chalet lui-même. Il dénicha un terrain splendidement situé qui ne jouissait ni d'électricité ni d'eau courante. Enivré par son projet, il planta la tente au premier signe du printemps, fit creuser un puits, abattit des arbres, loua les appareils nécessaires et un camion au besoin, établit les fondations. Chaque étape était une aventure : au bout d'une interminable route cahoteuse à travers bois, se dressait une hauteur sur laquelle il fallait tout hisser à la force de ses bras et de ses mollets. Là-haut s'élèverait la merveille.

Les soirées de la semaine se passaient à dresser les plans. L'humeur de Mirka alternait entre un enthousiasme épousé par amour et le découragement.

Je l'entendais rechigner, rappeler que, en plus de la collaboration qu'Alex attendait d'elle, lui revenaient les tâches domestiques dans des conditions primitives, sans parler de l'attention constante qu'exigeait la sécurité de la petite Clara. Elle n'était pas malheureuse. La participation à un projet commun avec l'homme qu'elle aimait avait un aspect exaltant. Elle prenait plaisir à travailler au grand air, à déguster steaks et saucisses cuits sur charbon de bois et à dormir sous la tente. Mais elle aurait préféré être plus libre de jouer avec Clara, loin des planifications et des admonitions d'Alex, qu'elle n'appelait plus toujours Sachenka.

Je garde un souvenir ambivalent de quelques occasions où Robert et moi les avons accompagnés. Robert faisait vaillamment sa part de construction : le site était magnifique dans sa mouvance de lumière, depuis le ruissellement du soleil matinal à travers les feuilles jusqu'aux sombres reflets de la brunante, en passant tout au long du jour par les nuances infinies de la luminosité du lac. Il faisait bon s'asseoir autour du feu. Alex chantait des mélodies de son pays et l'on dormait merveilleusement bien au grand air. C'était une fête parce que nous étions projetés hors de la routine. Pour Mirka, c'était la routine hebdomadaire. Son mari était charmant, mais, avec ses opinions tranchées sur tout, envahissant. Il projetait dans l'avenir le moment où, le chalet terminé, modelé à leur goût (du moins à celui d'Alex) et pourvu de tout le confort, ils cueilleraient les fruits de leurs sacrifices et viendraient s'y reposer entourés de leurs enfants et petits-enfants. J'avais des doutes. Mirka vivait dans l'instant. Si la maternité l'avait obligée à ne pas fermer les yeux sur l'avenir, elle détestait le poids d'obligations inutiles à ses yeux. Combien de temps resterait-elle docile? Qu'est-ce qui suivrait l'orage?

Il n'y eut pas d'orage. Seulement le trou noir de la mort. Plutôt que d'acheter une voiture d'occasion, Alex avait insisté pour garder sa moto; il y avait adjoint un siège latéral dans lequel s'installaient Mirka et l'enfant. Depuis la naissance de Clara, Mirka trouvait imprudent de rouler ainsi, mais, avait-il protesté, les soirées étaient longues en cette saison et il connaissait par cœur le trajet du chalet.

Depuis quelque temps, Mirka brûlait de se libérer de l'entrave hebdomadaire et de partir, pour une fois, «au hasard, sur des routes inconnues», avait-elle plaidé. Alex avait fini par céder et, ce soir-là, ils s'en allaient à l'aventure. Ils roulaient depuis cinq heures de l'après-midi. La petite dormait, la nuit tombait, Mirka parla de planter la tente, Alex ne répondit rien, continua de filer.

Trop vite? Trop tard? Fatigué de sa journée? D'humeur maussade? Une seconde d'inattention? Une automobile apparut dans la nuit. Un faux mouvement, la moto s'écrasa contre un arbre. C'était avant l'époque des casques protecteurs et des téléphones cellulaires. Le temps que l'automobiliste trouve une maison isolée d'où avertir la police, Alex était déjà mort, le crâne fracassé. Mirka s'en tirait avec la clavicule cassée, un choc nerveux et la perte du fœtus qu'elle portait. Clara était mal en point. Mirka avait eu beau se pencher (d'où le coup à l'épaule) et l'entourer de son corps, le bras droit et les côtes de la petite avaient heurté le rebord du siège.

Mère et fille furent hospitalisées, Mirka obtint son congé à la suite d'un curetage. Elle passa ses journées auprès de sa fille, ne la quittait que pour régler les indispensables dispositions à la suite du décès. Elle ne mentionnait le nom de son mari que pour le strict nécessaire. Elle m'a avoué plus tard qu'elle lui en voulait de son imprudence, de l'avoir ainsi abandonnée. Elle le rendait responsable de la condition de Clara, qui a mis du temps à s'améliorer et dont le bras a conservé des séquelles qui limitent ses mouvements et lui interdisent certains sports comme le tennis. Responsable de la mort de leur deuxième enfant.

«Je sais que c'était déraisonnable. Et injuste. C'est qu'au fond je me sentais coupable moi aussi, coupable de l'avoir entraîné contre son gré sur une route peu familière, de ne pas avoir insisté pour remplacer la moto par une voiture, une "minoune" s'il le fallait, à cause de ma grossesse. Mais pourquoi était-il de si mauvais poil ce soir-là? Pour une fois qu'il délaissait son maudit chalet pour me faire plaisir? En plus il m'accusait d'être geignarde, flemmarde. Il me répétait que les femmes de son pays (ha! ha! ha!) étaient plus résistantes, que sa mère travaillait au jardin jusqu'aux derniers jours de sa grossesse! Et impossible de lui demander de se départir de sa chère moto.

«Ah pourquoi ressasser ces vieilles rancunes? C'est fini. Malgré ce que je raconte, il laisse tout un vide! Son entrain me stimulait, il avait une telle présence, il faisait rire Clara, et puis… l'amour me manque. Je l'aimais encore… Est-ce que je l'aurais toujours aimé? Je crois, oui.»

Il laissait aussi un vide financier. Mirka ne s'était

jamais préoccupée des questions d'argent. Elle était reconnaissante des cadeaux que son mari lui offrait, mais n'exigeait rien. Elle se serait passée de chalet, les randonnées en moto lui suffisaient. C'est à rebours qu'elle reprochait à son mari de ne pas l'avoir remplacée par une automobile. Elle restait à sec, ou presque. Alex ne croyant pas aux assurances, seule une mince assurance-vie de sa compagnie permit de défrayer les coûts funéraires et les dépenses médicales. Le chalet à demi construit ne valait pas grand-chose, mais le terrain était vaste, bien situé et en partie élagué ; papa insista pour qu'elle ne se hâte pas de le laisser aller à rabais. Heureusement, trois ou quatre ans plus tard, il avait pris de la valeur, Mirka put le vendre et se procurer une voiture sans emprunt. Il ne restait rien de la moto.

Aux funérailles, le frère d'Alex, venu de Toronto, lui avait offert son support. Elle était trop fière pour accepter, mais lui avait exprimé sa reconnaissance et conserva des relations intermittentes avec lui. Lorsqu'il l'avait assurée que le jour où la famille Dusík récupérerait le manoir et la terre «volés par le régime», elle et sa fille auraient leur part de l'héritage, elle avait souri. Les paysans que la collectivisation avait installés sur la propriété y étaient sûrement à demeure. Pourtant, dans les années 90, son oncle est venu informer Clara des avoirs récupérés par la famille après la chute du régime communiste. Il lui revenait une somme d'argent appréciable, qui tombait littéralement du ciel. Mirka était morte peu de temps auparavant sans avoir été témoin de l'ironie de l'histoire, une ironie qu'elle aurait appréciée.

Au lendemain du décès d'Alex, il était indispensable pour Mirka de trouver du travail. Et la petite? J'ai offert de la garder. Ma Sophie avait trois ans, Clara quelques mois de plus. Mon deuxième enfant, Simon, n'était encore qu'un bébé. Les deux cousines avaient souvent joué ensemble, s'entendaient bien, étaient ravies de se retrouver tous les jours. Alors que vingt ans plus tôt Mirka et moi avions été projetées l'une près de l'autre sans préparation, le lien entre Clara et Sophie était déjà établi. Elles ne risquaient pas de connaître les déceptions et les tourments de leurs mères. J'ai dû bien sûr arbitrer quelques disputes: Clara voletait autour de nous comme un papillon froufroutant, se froissait d'un rien, sa cadette la traitait de «gros bébé» en la priant de la laisser en paix. Des vétilles. Quelques étincelles crépitaient aussi entre les mamans; Mirka me reprochait d'être exigeante, autoritaire. «Ce que tu me fais penser à mamichou!» Je répondais d'un ton sec: «Tant mieux! Je considère que j'ai été très bien élevée.» C'était faire preuve de mauvaise foi; je m'étais maintes fois rebellée contre l'intransigeance de maman.

Mirka a fait des démarches auprès de son ancien employeur, devenu Air Canada, à la recherche d'un poste d'agent de bord. C'était sa seule expérience de travail. À l'époque, sa demande tombait dans un vide juridique, Mirka n'étant ni célibataire ni mariée. L'existence d'un enfant et des obligations qui en découlaient faisaient hésiter les administrateurs. Le besoin lui a donné de l'éloquence; elle a su rappeler la qualité de son dossier et expliquer que, en son absence, son enfant serait gardée par sa sœur et n'entraverait en rien sa tâche. Elle a obtenu le poste, mais le métier qui à dix-huit ans lui paraissait nimbé d'exotisme avait perdu ses couleurs romantiques et n'était devenu qu'un moyen d'assurer sa sécurité financière et celle de Clara. Au cours des ans, elle s'était rendu compte qu'en fait le travail consistait à courir le long de couloirs étroits tout en gardant son équilibre et à servir des repas à des clients plus capricieux et râleurs que les habitués des snacks bars à l'époque de sa fugue américaine. L'ivresse des départs était tempérée par la monotonie des escales. Singapour, Bombay, Ispahan ou Istanbul ne faisaient pas partie des destinations d'Air Canada. Il restait l'Europe et l'Amérique latine, mais, réintégrée au bas de l'échelle, Mirka devait faire son pain de New-York, Chicago, de temps à autre San Francisco. Aussi fascinantes que soient ces villes, quelques heures de liberté entre deux vols épuisants, à répétition, c'était à la fois trop — l'intérêt s'émoussait — et insuffisant pour explorer plus loin que la surface. Surtout, seule dans un hôtel anonyme au confort minimal, elle s'ennuyait. Les séduisants pilotes d'autrefois étaient soit mariés, soit trop connus, ou encore d'éternels séducteurs. Le souvenir de Sachenka l'enveloppait. Elle lui en voulait d'être mort, mais sa rancune était au diapason de sa perte. Elle finit par oublier les défauts qu'elle avait commencé à lui reprocher et ses velléités de rébellion.

Bien plus tard, après qu'elle eût recouvré assez de sérénité pour analyser son passé avec une certaine distance, j'ai abordé le sujet avec elle. Des ménages autour de nous s'effritaient, des divorces inimaginables dix ans plus tôt se multipliaient.

«Tu crois que ça aurait tenu, entre Alex et toi?

Les derniers temps, j'observais des failles. Tu aurais passé des années de ta vie à construire un chalet, sous ses ordres en plus? Il me donnait l'impression d'être difficile, inconscient de tes sentiments, pris par ses projets sans tenir compte de l'opinion des autres ni de la tienne.

— Je réagissais souvent avec impatience, c'est vrai. Au fond, je cherchais comment me préserver sans nuire à notre amour. Je faisais semblant de l'écouter, puis j'agissais à ma tête. Mais jouer à l'autruche n'est pas dans mon caractère. Je ne me sentais pas à l'aise dans ce jeu, et ça ne fonctionnait pas à tout coup! S'il s'en rendait compte, il revenait à la charge de plus belle, et là, il y avait des flammèches! Ce que je désirais fortement, il fallait que je le gagne de haute lutte.

«C'est ce qui s'est passé le fameux soir. Je ne sais plus comment je m'y étais prise pour le convaincre de changer de cap pour une fois; j'avais envie de rouler sans but, de me griser d'air. À quoi bon une moto, que je me disais, si c'est seulement pour faire un aller-retour pépère semaine après semaine? Il a cédé à contrecœur, ça l'obligeait à annuler la réception de quelque chargement de bois de construction (tu sais, ces détails-là me laissaient indifférente), et il est parti en marmottant: "Tu veux rouler, eh bien, roulons!"

«Je l'ai détesté à ce moment-là, comme s'il tentait de gâter mon plaisir. Et après l'accident, je me disais que s'il n'avait pas été aussi tendu parce que, pour une fois, sa décision n'avait pas prévalu, il n'aurait pas eu ce mauvais réflexe. Une erreur qui me l'a arraché à tout jamais, dont Clara subit encore les conséquences, qui détruisait deux vies: la sienne, et celle de notre deuxième enfant. Pourtant, ce qu'on était heureux lorsque je m'étais retrouvée enceinte à nouveau! C'était un lien, une soudure, un renforcement de notre famille.

«Tu vois, rien n'est simple. Tu te demandes si notre couple aurait tenu. Comment savoir? C'est que, au-delà de nos conflits, on s'aimait. J'admirais son sens des responsabilités, j'étais sûre qu'il serait toujours là pour moi. Avec lui, je me sentais en confiance, comme avec daddy. Il pouvait râler, il ne me larguerait pas, lui! Je n'aurais pas pu en dire autant de toutes les personnes qui avaient veillé sur mes premières années. Et l'aventure avec Craig n'avait pas calmé mes insécurités. Depuis Sachenka, il ne s'en est pas trouvé un sur mon chemin dont je puisse me dire: "Lui, ça y est, c'est reparti! Je suis amoureuse!" Prends Bernard, je l'aime bien, mais pour la durée...

— Dommage! Aujourd'hui c'est Bernard, hier c'était Gilles, demain...

— J'y peux rien, je n'arrive pas à me fixer. Et je fais attention, tu sais, ça reste des escapades parce que je ne voudrais pas que Clara soit entraînée là-dedans. Mon métier a ça de bon, c'est surtout à l'étranger que ça se passe. Quand je reviens, tout mon temps est à elle.»

Depuis la mort de son Sachenka, ce n'était qu'une procession d'éclopés du divorce embarrassés de vieilles rancunes, de religieux défroqués avides de se caser, ou de charmants garçons ravis de rejoindre en goguette une jolie femme qui n'avait peur de rien et ne posait pas de conditions. C'étaient ceux qui lui convenaient le mieux. La première occasion s'était présentée au bout de neuf ou dix mois de solitude: elle s'était consolée auprès d'un «séduisant pilote» aussi esseulé qu'elle dans sa chambre d'hôtel de Manhattan. «Juste en passant, m'avait-elle assuré, ça fait du bien au *canayen* comme on dit, et puis le rythme fou de New-York, le contraste des petits bars sombres avec leur zizique langoureuse, c'est érotisant!»

Le téléphone n'était pas aussi omniprésent qu'aujourd'hui, les appels interurbains étaient limités par un budget serré. Malgré tout, elle dépensait au-dessus de ses moyens en appels à Clara. Je lui parlais le moins possible, juste le temps de lui dire bonjour et de l'entendre répéter soir après soir «Tu sais, Chicago (ou Los Angeles ou Toronto), quand on est seule...» Je laissais place à la petite, qui se précipitait pour répondre dès que sonnait l'appareil «à l'heure de maman». Pauvre enfant! Je la voyais dans un vide, une sorte de *no man's land* entre deux foyers. Malgré l'affection dont nous l'entourions, elle n'était pas tout à fait chez elle chez nous. Et chez sa mère? Quand celle-ci venait la chercher, Clara la guettait à la fenêtre, sa petite valise prête, son ourson dans les bras. Si Mirka tardait, elle demandait l'heure. «Ta maman devrait être là dans dix minutes.» «C'est bientôt, dix minutes?» Une fois chez sa mère, se plaignait Mirka attristée, «j'ai l'impression qu'elle s'ennuie dans mon deux-pièces; elle n'a personne avec qui jouer.» Pourtant les séparations étaient difficiles, l'enfant se cramponnait à sa mère en pleurant.

6
1990 : Clara

La petite Clara qui faisait la navette entre deux maison-
nées, deux chambres, deux séries de vêtements, deux
familles, qu'est-elle devenue au fil des ans ? Son album
de souvenirs est fragmenté : d'un côté promenades avec
maman (qui demandait aux passants de les prendre en
photo toutes les deux) et dans les bras de papa à la
campagne, de l'autre chez tante Claudine avec la famille Ferry, ou Sophie et Clara à quinze ans sur le seuil
de la porte, prêtes à s'envoler vers une soirée d'amis,
photographiées par oncle Robert dans leurs tuniques
et pantalons à la mode. Mais les photos les plus précieuses sont celles dans lesquelles ils sont tous réunis,
lors d'un souper, d'un pique-nique à la plage : maman,
tante Marion, oncle Robert, Simon et Sophie. À ces
occasions elle se sentait entière. Près de trente ans ont
passé. Elle a fait des études, s'est mariée, a un fille. Une
vie réussie. Les allers-retours d'autrefois sont loin. N'a-
t-elle pas été privilégiée ? La majorité des mères célibataires déposent leur enfant à la garderie chaque matin et
vont le cueillir après leur journée de travail. Exténuées

au cours du week-end, elles n'ont pas l'énergie qu'elles souhaiteraient alors que sa mère, elle, de retour de ses voyages, était toujours heureuse de la voir, de l'avoir à elle seule ; elle lui accordait une attention totale, ne savait quoi inventer pour la distraire et l'emmener promener. Elle ne la confiait pas à une étrangère. Clara vivait chez sa tante Marion, qui la soignait et la choyait à l'égal de ses enfants. Elle était à l'aise auprès d'elle et de son oncle Robert, de ses cousins Sophie et Simon. Dans chaque maisonnée elle se sentait chez elle. Malgré tout, il y avait un manque. Chaque départ était à la fois anticipé et déchirant, chaque arrivée comportait une période de regret. Il lui arrive encore d'avoir mal à son enfance.

Ce vieux malaise, Clara a de la difficulté à le verbaliser, mais il se tient tapi derrière ses confidences à Sophie alors qu'un soir, elle lui expose ses ennuis et ses hésitations.

«Trop c'est trop. Mon cher mari dépasse la mesure. Au lieu de rentrer dimanche soir tel que prévu, Monsieur décide de faire un crochet par Rio... sans avertir. Il revient trois jours plus tard, surpris que je lui fasse des reproches. Comment suis-je devenue si peu compréhensive? Qu'il soit obligé de voyager pour son travail, j'accepte. Nous étions d'accord sur les avantages du poste. Qu'une fois sur place il prolonge son séjour d'un jour ou deux pour visiter les lieux, passe. Mais j'apprécierais qu'il m'en avise! Et ces détours, il paraît que ce serait péché de ne pas succomber... mais ils grèvent son budget.... notre budget. Oh Sophie! Que je deviens ronchonneuse!»

Il est gentil, mais... De plus en plus distant, distrait.

Même avec leur fille Liane. En arrivant, il la soulève, l'embrasse : « Ça va, ma biche ? », et il la dépose par terre sans entendre sa réponse. Pauvre trésor, si contente de voir son papa !

Clara s'attarde-t-elle sur des détails sans importance ? Elle prend la mouche rapidement. Vrai, ils se sont toujours disputés un peu, son mari et elle. Des querelles sans lendemain qui ne laissaient pas de traces apparentes. Dernièrement, elle pleure pour un rien. Elle se sent seule, vulnérable. Certains soirs, une fois Liane endormie, elle tourne en rond, désœuvrée. Autrefois, elle aurait entrepris de fignoler un texte. Mais son travail de traductrice, qui présentait un défi quelques années plus tôt, a commencé à lui peser. Pourquoi avoir choisi ce métier ? Pour se rapprocher de son père en devenant spécialiste de la langue tchèque ? De toute façon, les commandes qui se présentent sont des traductions de l'anglais. Et les sujets passionnants — programmes d'expositions, rapports de fouilles archéologiques — sont rares. Sophie n'est pas surprise. La traduction lui semble un choix austère pour une jeune femme aussi pétillante que Clara. Quant au mari, elle l'a classé depuis longtemps : snob et « plume au vent ». La situation est-elle sans issue ?

« As-tu songé à la thérapie de couple ? Tu sais, je suis pas très psy, mais il paraît que ça fonctionne dans certains cas.

— Jean-Noël avoir besoin de thérapie ! Tu blagues ! Je lui en ai déjà glissé un mot, en lui demandant de faire ça pour moi, en lui affirmant que c'était ma faute, que si on arrivait à s'expliquer... avec de l'aide... Mais Monsieur n'a pas de temps à perdre en futilités,

Monsieur a des occupations sérieuses! Sa collection d'art naïf exige beaucoup d'attention.

— Autrement dit, il est encrassé.

— Je me dis, des fois, tant qu'à élever Liane quasiment seule...

— Ce serait le moment. Tu es encore jeune. Tu connais mon mot d'ordre : "Mieux vaut être seule que mal mariée." Tu pourrais exiger une pension pour la petite ; avec ton travail de traduction tu te débrouilles...

— Il n'y a pas que la question d'argent... Imposer à Liane d'être trimballée d'un parent à l'autre...

— Tu dramatises. Tu t'en es bien tirée, toi. Les enfants ont une faculté d'adaptation remarquable.»

Sophie n'a pas d'enfant et ses grands élèves sont à l'âge où ils cachent leurs déchirements à leur prof. À vingt ans, elle a délaissé le violoncelle pour se réfugier dans les chiffres et elle a tendance à croire que la vie, c'est comme les mathématiques : il suffit de réflexion, de méthode et de patience pour résoudre un problème. Si Clara ne s'entend plus avec Jean-Noël, qu'elle le quitte. Tant pis pour lui! Liane est une enfant raisonnable à qui on peut expliquer que, lorsque maman sera plus épanouie (papa aussi sera plus libre de vivre comme il l'entend), tout le monde sera heureux.

Clara ne dit rien. Sa cousine l'a écoutée d'une oreille objective et logique, uniquement logique. Elle ne lui en veut pas. Au cours de leur enfance, Sophie n'a pas vécu les peines de la séparation.

«C'est pas si facile, je suis pas sûre de ne plus l'aimer.»

Sophie partie, elle se sent plus que jamais confuse.

Des souvenirs de leurs premières années affluent : les week-ends sous la tente, les vacances de ski dans les Alpes, leur installation en appartement et l'achat de leurs premiers meubles, la course à l'hôpital lorsque ses eaux avaient crevé, les perles qu'il lui avait achetées au Japon. Il avait hésité à briguer un nouveau poste qui l'obligerait à s'absenter souvent, mais ils s'étaient dit que la promotion représentait une occasion unique d'avancement, qu'il valait la peine de faire quelques sacrifices. Au début, il l'appelait régulièrement, rapportait des cadeaux. Maintenant, il profite des aubaines à l'étranger pour agrandir sa collection de tableaux primitifs sans se préoccuper de l'avis de Clara.

Le quitter, en aurait-elle l'audace ? Elle songe au moment où il lui faudrait annoncer sa décision, aux démarches pénibles, à la solitude qu'elle supporte mal... Quelle serait la réaction de Jean-Noël : incrédulité, colère, sarcasme, chagrin, soulagement, indifférence ? Des parcelles de phrases lui tourbillonnent dans la tête ! « Tu t'en fais trop... Il ne t'aime plus, c'est évident... Pense à ton amie, Marie-Claude, comme elle est soulagée depuis sa séparation... Son petit garçon a l'air malheureux... Liane voit si peu son père, qu'est-ce que ça changerait ? »

Les voix la harcèlent, elle tourne dans un maelström. « Il faut que j'arrête ça, il faut que je m'arrête... » Elle s'assoit à sa table de travail, respire profondément, sort une feuille blanche qu'elle partage en deux colonnes. Ça ne va pas. On ne joue pas une vie en dressant une liste « pour » ou « contre ». Pour quoi ? Contre qui ? S'il ne s'agissait que de sa relation avec Jean-Noël, la décision serait facile. Elle ne se sentirait pas prête à le quitter, elle s'accorderait un temps d'observation. Si rien ne changeait, elle finirait sans doute par demander la séparation.

Mais dès qu'elle pense à Liane, rien ne va plus. Pas question d'arguments logiques ni de responsabilité morale. Elle ne peut pas. Sa décision vient des tripes. Comment imaginer Liane passer deux jours chez son père qu'elle adore et le reste du temps avec elle, s'ennuyant de l'un chez l'autre ? Ce ne sont pas les complications qu'entraînerait l'agenda de son mari qui l'inquiètent. Elle n'y songe même pas. Non, c'est impensable.

Est-ce qu'elle idéalise les autres familles ? N'y a-t-il pas dans chaque enfance des moments de vide, d'ennui, de dépit, de rancœur, de désir d'être ailleurs, le rêve de parents sans défauts ? Elle ne peut s'empêcher de sourire au souvenir d'une phrase entendue autrefois : « Heureusement, il n'y a pas d'enfance parfaite, comment pourrions-nous alors apprendre à vivre dans ce monde imparfait ? » Elle a tendance à protéger Liane, à lui éviter tout écueil. A-t-elle tort ? Est-il vrai, comme l'affirme Sophie, que les enfants ont une grande faculté d'adaptation ? Il a bien fallu qu'elle s'adapte au vide que laissait la mort de son père Alex. Est-elle plus malheureuse que ses amies qui ont vécu une enfance que l'on appelle normale ? Plus malheureuse que Sophie, la matheuse indépendante qui cache ses peines d'amour ?

Clara se dit qu'elle n'est pas seule. Combien de femmes ont un mari souvent absent, et, de plus en plus, combien d'hommes dont l'épouse part en guerre, en voyage d'affaires ou en recherche à l'étranger ?

Peut-être devrait-elle se chercher un amant parmi ceux-ci ? Ils se consoleraient mutuellement et elle serait de meilleure humeur pour accueillir Jean-Noël ? D'ailleurs, que sait-elle de ses loisirs au loin et de ses détours pour l'amour de l'art ? Dans une situation semblable, sa mère aurait-elle hésité ? Mirka n'a jamais été un modèle de patiente attente. Mais... « Si papa avait vécu, se dit Clara, tout aurait été différent. » Il lui semble que le mariage éphémère de ses parents, malgré les agacements que Mirka a laissé soupçonner, a été plus vivant, plus difficile peut-être, mais plus enflammé que le sien, dont les étincelles se limitent aux remarques acerbes qu'elle ne contient plus. Jean-Noël fuit-il la lassitude, ce qui est devenu pour lui une fade habitude ?

« Si papa avait vécu ... » Elle se prend à rêver d'une vie de famille : ils auraient passé leurs week-ends au grand air, elle et le petit frère (ou la petite sœur) qui la suivait de près, papa aurait joué avec nous (comme elle aimait son visage rond, ses sourcils en accent circonflexe, le sourire en coin de la photo qui trônait sur son bureau !), maman aurait été là, je ne me serais pas éveillée le matin en pleurant parce qu'elle était partie la veille.

Pourquoi faut-il que ceux qu'on aime nous quittent ? Chaque fois on se demande : Reviendra-t-elle ? Reviendra-t-il ?

⁜

« Confier mes ennuis à maman ? Elle comprendrait bien sûr, elle qui a connu une absence définitive, elle me secouerait, me conseillerait en riant (sérieuse-ment?) de prendre un amant et de faire pâtir ce Jean-Noël trop idiot pour apprécier sa femme.»

Ces dernières années, les voyages de Jean-Noël se sont succédé à un rythme plus fréquent. Il semble in-différent de partir, presque ennuyé de revenir. Lorsque Clara a pris conscience du changement d'attitude de son mari, sa mère avait déjà subi une première session de chimiothérapie. Depuis la réapparition du cancer, il n'est pas question d'ajouter à ses tourments. Il se pour-rait que les préoccupations de Clara au sujet de Mirka l'aient rendue moins présente à son mari. Il devrait comprendre! Elle a toujours senti un fond d'égoïsme chez lui. Elle lui en veut.

Elle n'a que Sophie et sa tante Marion sur qui compter. Mais avec le temps, malgré qu'elles aient été élevées ensemble, Sophie et Clara sont devenues deux sœurs qui s'aiment à distance. Chacune ses activités, ses préférences. Sophie trime fort comme prof de maths, étudie ou fait un peu de musique dans ses temps li-bres, voyage pendant les vacances, parle peu d'une vie amoureuse épisodique et aride. Quant à tante Marion, aussitôt à la retraite, elle a dû soigner mamichou à la suite d'une deuxième attaque cérébro vasculaire qui l'a finalement emportée. Et elle n'est pas au bout de ses soucis: la santé d'oncle Robert l'inquiète, ainsi que les imprévisibles aventures de son fils Simon empêtré dans ses mariages et divorces successifs. Marion subit elle aussi le choc du cancer de Mirka. Lorsqu'elle té-léphone à Clara, la maladie est devenue leur centre d'intérêt. Il reste peu de place pour leurs états d'âme.

Depuis les premiers signes de cancer, Clara s'est

rapprochée de sa mère. Mais, lorsque la maladie s'installe, les relations entre le malade et son entourage perdent leur spontanéité. On n'ose plus froisser ni troubler, chacun mentant pour protéger l'autre. Le soignant évite les sujets épineux, développe des stratégies, encourage mine de rien, s'adresse à un tiers: «Nous avons fait une longue promenade aujourd'hui, nous sommes allés bien plus loin qu'hier.» Le malade manipule: «Sois tranquille, je ne bougerai pas d'ici.» Personne n'est dupe, chacun se surveille.

Est-ce la maladie? La crainte de mourir sans avoir accompli son destin? Ces derniers temps, Mirka, si secrète sous ses dehors dynamiques, a commencé à révéler des détails de son passé. Clara sait que sa grand-maman était la mère adoptive de Mirka. Que celle-ci, réfugiée de guerre, est arrivée à Montréal à l'âge de sept ans. Comme dans toute famille, il existait chez les Dumouchel un folklore de références aux souvenirs d'enfance: les gâteaux ratés, les vacances à la campagne, les courses dans les champs et les omelettes de tante Clémence. De petits drames s'étaient transformés en anecdotes dont on badinait: la fugue de Mirka qui, pieds nus, avait suivi «un joli chat», la photo dans laquelle Marion se tient le plus loin possible d'une pourtant paisible vache, même le papillon tatoué à l'orée de la poitrine. Mais devant un silence soudain, un visage soucieux, Clara a souvent senti des réticences. La vérité est tronquée, comme un film dont la censure aurait extrait tellement de scènes qu'on aurait perdu le fil de l'intrigue. Certains éléments lui échappent: le «deuxième retour de Mirka» (combien y en a-t-il eu?), une vague famille en Belgique (Clara a compris que Daniel était le frère de sa mère, mais qu'étaient devenus ses parents?). Jusqu'ici Mirka est restée évasive. «Ce doit être lors des funérailles de Lisette, c'était la seule... Ma mère est morte en camp de concentration. Tu sais, la guerre...»

Un matin, Clara lui pose la question carrément:

«Maman, comment se fait-il que tu aies quitté la Belgique pour venir seule au Canada?

— Pas tout à fait seule. Plusieurs enfants ont été évacués d'Angleterre au début du conflit pour les protéger des bombardements.

— Mais t'étais pas anglaise!

— J'étais en Angleterre avec ma tante...

— J'y comprends rien. Qu'est-ce que tu faisais là? Pourquoi?

— Pourquoi? Pourquoi... Parce que mon présumé père voulait se débarrasser de moi. Il a sauté sur le premier prétexte venu. Soi-disant pour me mettre à l'abri. Il m'a envoyée à Londres avec sa sœur Pauline en m'assurant que maman et Daniel me rejoindraient. J'ai compris plus tard que c'était une promesse vaine pour nous tranquiliser, maman et moi. Il espérait l'avancée allemande, il l'a applaudie! Il les admirait! Comme de fait, ils ont envahi la Belgique et la pauvre Pauline est restée encombrée d'une gamine malheureuse et revêche. Les Anglais s'attendaient à des bombardements. Pour protéger les enfants, ils ont dépêché des navires remplis de petits réfugiés aux quatre coins du Commonwealth. Avec les meilleures intentions du monde, sûrement. Pauline a saisi l'occasion et je me suis retrouvée en partance pour le Canada. Et celui que je croyais encore mon père, en apparence tout éploré, a enlevé Daniel, son précieux Daniel, à maman pour le confier à sa mère, le remettre entre bonnes mains. Moi, il n'avait jamais accepté mon existence, ne m'avait jamais aimée. Daniel était son fils, Daniel que j'aimais; malheureusement il est devenu le digne fils de son père.

— Qu'est-ce que tu veux dire?

— Oublie ton oncle Daniel. Il ne vaut pas la peine qu'on s'y attarde.

— Celui que tu croyais être ton père? Il n'était pas... Alors ton père... c'était qui?

— Un voyageur... Un Tsigane...

— Quoi?

— Eh oui, ma belle, je suis fille de Gitan... *Bohémienne aux grands yeux noirs*, c'était une chanson à la mode quand j'étais petite. Et toi, tu es ma Gitane blonde. Au fond, si on oublie l'élément exotique, l'histoire de maman, c'est un drame banal. Une jeune fille s'est fait engrosser par un passant, un Tsigane reparti avec sa *cumpania* sans se préoccuper de ce qu'il laissait derrière lui. Pourquoi aurait-il assumé une responsabilité envers une Gadji, une non-Tsigane, "une autre"? Pourtant maman n'était pas véritablement une Gadji... mais c'était une enfant du village. Mon grand-père était commerçant, il était préférable de cacher la chose.

«Franz Doineau tournait autour de maman, c'est tante Lisette qui m'a tout raconté. Rien de mieux qu'un mariage rapide pour abrier la vérité. Ce que j'ignore, ce que personne n'a su, c'est jusqu'à quel moment Franz a été dupe. Lui a-t-elle avoué la vérité en acceptant de l'épouser, l'aimait-il assez pour fermer les yeux? Ou alors, est-ce qu'il a découvert le pot aux roses quand est née une petite noiraude quelques mois plus tard? En plus, maman a insisté pour m'appeler Mirka malgré les protestations de sa belle-mère, un prénom peu courant chez les Gadjé, comme les Tsiganes appellent les « autres », ceux qui ne sont pas de leur race.

— J'ai toujours été intriguée par ton nom. Petite, tu sais comme les enfants n'aiment pas être différents...

— Oh que oui!

— Je ne révélais ton nom à personne... Au fond, je le trouvais joli... Mais pourquoi Mirka au lieu de Marie-Jeanne ou Clothilde?

— Souvenir de son beau Tsigane? On aurait dit que je sentais dans mes fibres que j'étais différente... Un après-midi, Marion et moi, on s'était déguisées avec des tissus et des bijoux que mamichou avait mis à notre disposition. Une fois costumée, j'ai eu l'impression d'accéder à une vie nouvelle, plus belle. J'oubliais que j'étais une réfugiée sans pays, j'étais devenue une petite *gypsy*, comme daddy nous avait appelées. J'aurais aimer danser sans fin dans ma robe rouge et mes colliers en sautoir. Le souper m'a fait redescendre sur terre, un tout petit peu. On avait promis un spectacle dans la soirée, mais dans l'excitation on n'avait eu le temps de rien préparer. Il a fallu improviser. Marion s'est risquée à chantonner, en faussant, un extrait de *Carmen*, *L'amour est enfant de Bohême*. À la fin elle s'est penchée vers moi, pour blaguer, « et si je t'aime, si je t'aime, prend gaaarde à toi ». J'ai joué le jeu, mais mon exaltation était tombée. J'ai repris conscience de ce que j'étais, une épave qui n'avait pas trouvé sa place sur le rivage. Je me suis sentie envahie, j'ai eu peur. "Prends garde": l'amour était-il une menace? Je ne voulais pas qu'on m'aime. À quoi bon être aimée? Après on souffre. Quand mon tour est venu, j'étais sous le choc, je ne bougeais pas. Mamichou a demandé: "Chante, Mirka, chante-nous quelque chose, une chanson de ton pays." Mais c'était quoi mon pays? Mon pays, c'était maman, maman restée là-bas, loin de moi. Alors, après une courte hésitation, j'ai entonné sa berceuse. J'ignorais que c'était une chanson tsigane, pour moi c'était la chanson de maman... Je répétais des paroles dont je ne comprenais pas le sens précis, mais la mélodie évoquait des images qui flottaient devant moi: je berçais Daniel, maman entrait en souriant, elle riait aux éclats, secouait sa chevelure, courait le long du quai, le visage levé vers moi, je me penchais à la fenêtre, étendais le bras, n'arrivais pas à la toucher...»

Les dernières paroles de Mirka sont à peine audibles. Clara ne reconnaît plus le ton habituellement énergique, assuré, de sa mère. Elle découvre la voix d'une enfant prisonnière de sa tristesse, de sa nostalgie, de son angoisse, de sa solitude. Mirka est redevenue la petite fille séparée de sa maman. Les rôles ont changé. C'est à Clara désormais de bercer sa mère vulnérable. Elle aimerait en savoir plus long, mais Mirka se sent lasse. Martin vient de rentrer: il a profité de la visite de Clara pour faire une longue promenade. «Va te balader, lui avait-elle conseillé, j'aime bien ta compagnie, mais tu as besoin d'air.» En vérité elle apprécie les moments d'intimité auprès de sa mère. Martin le comprend et Clara lui en est reconnaissante.

C'est la première fois qu'elle s'entend si bien avec un ami de sa mère. Lorsque Martin était entré dans le paysage, elle s'était demandé: «Est-ce que cette fois ça va durer? Est-ce qu'enfin elle a rencontré un homme avec qui elle va finir sa vie?» En se disant «finir sa vie», elle pensait en termes de vingt-cinq, trente ans. Mirka, la cinquantaine en forme, avait fait des voyages avec lui, des excursions un peu aventureuses, jusqu'en Inde et au Népal. La découverte d'une tumeur maligne au sein droit avait mis un bémol aux destinées exotiques. Une fois remise de sa chimiothérapie, ils avaient repris la route à un rythme plus calme: séjour à Nice, croisière dans la Mer du Nord. Depuis un an, le cycle infernal a recommencé: traitements, souffrances, perte des cheveux, extrême fatigue. Martin est resté. Divorcé sans enfants, loin de sa ville natale de Québec, il s'est attaché à Clara et à la petite Liane qui n'a pas de grand-papa, mais s'amuse à répéter: «J'ai un papy et un tonton.» Papy Martin l'accompagne au parc, l'applaudit au soccer et lui donne des conseils. Jean-Noël a peu de temps à consacrer aux activités de sa fille. Tonton Robert, lui, initie Liane aux mythes grecs dont il fait des contes. Martin se sent bien accueilli dans la famille de sa compagne. «Tu sais, avait confié Robert à Marion après avoir fait la connaissance de Martin, je m'entends mieux avec lui qu'avec Alex. Alex aurait peut-être arrondi ses angles en vieillissant... pas sûr... Il avait un côté rigide, il n'aimait pas être dans son tort. Tout de même, pour Clara, ça aurait été préférable s'il avait vécu, pour Mirka aussi.»

Clara sait que sa mère a eu plusieurs hommes dans sa vie. Vers l'âge de douze ans, il lui est arrivé de nourrir des doutes sur la cause officielle d'un retard. Mais Mirka a toujours été discrète et n'a jamais impliqué sa fille dans ses aventures amoureuses. D'ailleurs avaient-ils été si nombreux, ces hommes de passage? Au fond, avant la venue de Martin, seuls Alex et Clara avaient compté pour elle.

Petite, Clara a souffert des absences de sa mère, mais elle savait que si son père avait vécu, Mirka n'aurait pas repris son travail tant que ses enfants n'auraient pas été en âge de se débrouiller. Veuve, sans ressources, elle avait adopté la seule solution possible étant donné son expérience et l'urgence de la situation. Le seul homme qui avait remplacé Alex auprès de Clara était son oncle Robert.

«Nous avons été chanceuses, maman et moi, se dit Clara, elle a eu daddy, et moi oncle Robert.»

«Daddy a été avec moi d'une patience infinie, lui a confié Mirka récemment. Oh, ça n'excluait pas les sautes d'humeur, les colères passagères! Il avait son côté soupe au lait. Je parle de patience sur le long terme, de persévérance, la persévérance de celui qui n'abandonne pas la partie, qui ne laissera jamais tomber ceux envers qui il s'est engagé. Devrais-je dire ceux qu'il aime? M'aimait-il? Pas de la façon dont il aimait Marion. Avec elle, c'était l'amour inconditionnel du papa qui éclôt dès qu'il aperçoit le petit visage chiffonné né de la rencontre entre son sperme et l'ovule de la femme aimée. Il avait guetté ses premiers sourires, entendu avec ravissement ses premières paroles, suivi ses premiers pas en la soutenant au besoin, consigné le tout dans un grand livre orné de rubans roses et illustré de photos du genre *notre enfant chérie à trois mois, à quatre mois.*

«Je suis tombée dessus par hasard. Je n'en croyais pas mes yeux. Je regardais Marion à trois mois, sa première risette, Marion en robe au corsage plissé, ça me semblait ridicule et en même temps j'avais envie de pleurer. Personne ne s'était donné la peine d'en faire autant pour moi. J'ai été prise d'une rage, une rage de dépit, de jalousie, j'ai saisi le premier crayon sous la main (un crayon vert, je m'en souviens) et j'ai barbouillé une partie des feuilles. J'ai remis le cahier en place, et longtemps j'ai eu peur que daddy ou mamichou s'en aperçoive, devine la vérité et me punisse. Quel châtiment pareil méfait m'aurait-il mérité? M'auraient-ils chassée? Après tout je les blessais dans ce qu'ils avaient de plus précieux. Je tremblais chaque fois que je voyais mamichou s'approcher du petit bureau et se pencher vers le tiroir du bas à gauche.

«Il n'en a jamais été question. Si elle l'a ouvert en faisant des rangements, elle a peut-être cru que c'était l'œuvre de Marion à l'âge des barbouillages. Si elle m'a soupçonnée, elle a choisi de ne pas en faire un drame. Il y en avait eu de plus graves! Je ne l'ai jamais avoué à personne. Enfin, pas avant aujourd'hui.

«Ils m'ont aimée, j'en suis sûre, mais au début, j'avais l'impression qu'ils m'aimaient davantage par devoir. Ils voulaient m'aimer. Ils avaient accepté une responsabilité et devaient l'assumer. Mais j'étais si résistante, si rétive, que je les voyais se décourager. Moi, je n'arrivais pas à les aimer en retour; je sentais leur effort et comment aimer quelqu'un qui s'efforce d'aimer? Je ne pouvais pas aimer mamichou parce qu'elle n'était pas maman, ni Marion, parce qu'elle était ma rivale déjà choyée. Je ne pouvais pas aimer monsieur parce que dans mon esprit un père, quand il n'était pas indifférent, tempêtait et battait; j'attendais le jour où l'ogre révélerait sa vraie nature.

«Peu à peu, ils m'ont aimée par pitié. Ils me voyaient malheureuse et tentaient d'alléger mon chagrin en m'offrant des douceurs: de la crème glacée au chocolat, du gâteau à la meringue, une jupe à volants devant laquelle je m'étais attardée. Ils m'intégraient du mieux qu'ils le pouvaient à la vie familiale. Bref, une drôle histoire d'amour. Pas de coup de foudre. Pas de gentille romance où l'on s'aime spontanément. Ni petites filles modèles ni parents de rêve. Aucune magie. Ou plutôt si. La magie quotidienne de gens qui voulaient le bonheur de l'enfant qu'ils avaient choisi d'accueillir, et d'une enfant qui avait peur de l'amour tout en le désirant. La magie du désir d'amour qui a fini par éclore.»

⁜

Un beau jour, alors qu'une promesse de printemps adoucit l'air, Clara emmène sa mère faire une promenade en voiture le long de la rivière des Prairies. Mirka ouvre sa fenêtre et aspire la brise en silence. Se demande-t-elle combien de temps encore elle pourra profiter des beaux jours? Hélas, le répit ne dure pas, le mauvais temps reprend de plus belle, Clara doit affronter des trottoirs glacés pour se rendre chez sa mère, le froid pénètre la monotonie des jours, et elles se pelotonnent à nouveau dans la chaleur de la maison. Par une de ces matinées mélancoliques, sans préalable, comme si elle plongeait à nouveau dans le lac, Mirka confie tout de go à Clara que, avant de connaître Alex, elle avait tenté de se suicider, que Robert l'avait sortie des eaux glacées et qu'elle lui en avait voulu longtemps, au point d'être mécontente en apprenant que Marion et lui, après s'être revus par hasard, avaient commencé à se fréquenter.

«C'était injuste, je sais. Dieu merci, elle a tenu bon! Robert a eu raison de me tirer de là! Si jamais, si jamais... De tout mon cœur, j'espère que non, mais si jamais... tu étais tentée, pense à moi. À tout ce qui aurait manqué à ma vie: ce qu'Alex m'a apporté, le bonheur que je crois lui avoir donné, Martin, mes amitiés, mes amours, et toi, la lumière de ma vie! Imagine, tu n'aurais jamais existé! C'est inconcevable! J'ai souvent songé à te mettre en garde quand tu étais jeune, à l'âge des grands désespoirs. Jusqu'à ce que tu épouses Jean-Noël, je te surveillais du coin de l'œil. J'hésitais à t'avouer ma folie. C'est stupide.

— Tu étais si malheureuse? Tu étais pourtant entourée de grand-papa, de grand-maman, de tante Marion?

— Il y a des moments où l'on est prête à tout envoyer promener. Ce n'était pas la première fois, tu sais... La première fois que j'avais été tentée, c'était à cause d'une peine d'amour, une histoire ridicule, mais ridicule ou non, une histoire qui m'avait fait souffrir. Je n'avais pas mis mon projet à exécution.»

Mirka poursuit ses confidences par le récit de sa fugue de jeunesse en moto. Elle en parle d'un ton ironique, comme si elle voulait alléger la révélation.

«L'attrait de la route, du voyage... Hippie avant la lettre... Ou serait-ce mon sang tsigane?

— Mais quand tu t'es jetée dans le lac, c'était plus tard, non ? Pas pour les mêmes raisons ?

— Oh c'est compliqué... Pas maintenant, je suis fatiguée... J'ai écrit mon histoire... J'ai mis le point final il y a quelques mois... Le manuscrit dort dans le tiroir de droite... Je l'ai rangé dans le meuble de ma chambre. Je t'en reparlerai. »

Depuis le jour où Mirka lui a révélé son origine, Clara brûle de curiosité. Elle est troublée. Elle ne connaît des Tsiganes que les clichés : sales, voleurs, peu fiables..., des airs de violon nostalgiques, la danse flamenco et *l'amour enfant de Bohême*. Un jour, à Paris, une femme en haillons colorés l'avait accostée et avait proposé de lui dire la bonne aventure. Clara, amusée, avait tendu la main et s'était fait raconter des banalités ; lorsque la Gitane avait insisté pour continuer contre un tarif exorbitant, Clara avait refusé et retiré sa main. La Gitane en colère s'était mise à crier, la vouant à tous les malheurs. Qui sait si ce n'était pas une lointaine cousine ? Elle frissonne, son corps répugne à cette idée. Elle s'est toujours crue tolérante, ouverte aux gens d'ailleurs. N'est-elle pas fille d'immigrants ? Même si Mirka est devenue membre d'une famille pure laine, elle est née en Belgique d'une mère belge. Mais d'un père tsigane ? Quand Mirka l'avait-elle appris ? Lors de son retour là-bas à douze ans ou à son second voyage ? Clara est un peu confuse. Mirka avait-elle été bouleversée au point de vouloir se suicider ? Sa mère était morte pendant la guerre dans un camp de concentration. Lequel ? Clara se rappelle que les Tsiganes ont été persécutés par les Nazis au même titre que les Juifs. Il est vrai qu'on en parle peu.

Ne pas penser à l'avenir. Vivre au jour le jour, profiter de chaque instant. Pourtant, on a beau dire, une petite voix chuchote : «Le temps est compté... Les périodes fastes se feront de plus en plus rares. Les secrets risquent d'être emportés.»

Existe-t-il un lieu dans un autre monde où se réfugient les désirs vains, les espoirs déçus, les blessures cachées, les drames camouflés, les dernières pensées du voyageur égaré, la dernière prière de la victime ? Avant de frapper l'arbre qui l'a tué, Alex a-t-il eu le temps d'un regret ? Caché dans la forêt en attendant le guide qui l'emmènerait à la frontière et à la liberté, à quoi songeait-il ? La réponse est à jamais perdue. Faut-il insister auprès de Mirka ou respecter son jardin secret, avec l'espoir qu'un jour, en dehors du temps, tout sera révélé ?

Ne pas la brusquer, l'aborder de façon indirecte.

«Tu as parlé de Tsiganes, de Gitans. Sais-tu si on emploie les deux termes indifféremment ? Il y a aussi les Bohémiens...

— Bohémiens... Peut-être que certains étaient passés par la Bohême. Dans la langue populaire, j'ai l'impression qu'on emploie le mot pour désigner les gens qui vivent au jour le jour, sans domicile fixe, les comédiens en tournée, les artistes des cirques ambulants, les Gadjé qui adoptent un temps le style de vie des Tsiganes. La vie de Bohême, quoi.

«Les Tsiganes, les vrais, sont originaires de l'Inde, ils ont émigré vers l'Europe... disons autour du Xe siècle. Aujourd'hui, plusieurs d'entre eux ont été obligés de se sédentariser: ils ont abandonné les caravanes et habitent des quartiers, parfois des sortes de ghettos. Mais ils demeurent des Tsiganes. Avec le temps et la diversité des territoires qu'ils parcouraient, ils se sont divisés. Ainsi vers le sud, en Espagne surtout, on les nomme Gitans. Ils semblent les plus connus, à cause du flamenco? Autrefois on employait le terme pour tout Tsigane: pense aux cigarettes! De toute façon, dans l'esprit de la majorité des gens, c'est du pareil au même. Eux ont de plus en plus tendance à s'identifier comme Roms, un mot qui veut dire «humain», qui a donné son nom à leur langue, le romani. En France et en Belgique, on trouve les Manouches, les Sintis. Dans leur poésie, ils se voient comme fils du vent, des fils du vent sans pays.

— Comment sais-tu tout ça? Tu as fait des recherches? Comment as-tu réagi quand tu as appris ton origine?

— Imagine, après mes années dans la famille Dumouchel, dans quel monde je me retrouvais!

— Comment c'est arrivé?

— Brutalement. À la fin de la guerre, mon beau-père Franz (que je croyais encore mon père) m'a fait revenir en Belgique. Il venait de se remarier avec une jeune femme. Un jour j'ai fait une sottise et ma belle-mère, fâchée, m'a traitée de "sale petite Gitane". Sur le coup, je n'ai pas porté attention, jusqu'à ce que mon cher beau-père renchérisse: "Quand on sait avec qui traînait sa Gitane de mère!" Devant ma stupéfaction, il a ajouté: "Oh que si, une pure Gitane, comme ta grand-mère, si on peut employer le terme pur pour ces gens-là." À part quelques allusions dans des romans d'enfant, le mot ne m'était pas familier, je ne savais pas trop ce que je devais croire. Quant à mon vrai père, mon père biologique comme on dit aujourd'hui, j'ignorais encore tout de lui, je croyais que c'était Franz.

— Tu n'avais aucune idée?

— J'étais partie à sept ans. Je me rendais vaguement compte que ma mère était différente: ses cheveux noirs, elle les portait longs, elle se promenait pieds nus le plus souvent, elle ne s'habillait pas comme les autres femmes. Mais je ne cherchais pas de raison. À mes yeux, c'était la plus belle, c'était maman. Elle s'appelait Marie-Lou. Elle ressemblait à sa mère Rosa, morte jeune, que j'avais à peine connue. Il y avait bien deux oncles un peu originaux — pas Josse, lui et mon grand-père s'occupaient de leur auberge et de leur boutique, une sorte de magasin général. Deux autres oncles, qu'on ne voyait jamais ouvertement. Quelquefois, quand ils se trouvaient tout près de la maison, maman m'emmenait les rencontrer, moi seulement, pas Daniel, en m'ordonnant de ne rien dire. Ils étaient amusants, ils portaient chapeau de feutre noir et foulard autour du cou, ils me montraient des tours de magie. Au Canada, j'ai oublié tout ça. Le souvenir m'est revenu lorsque Franz a fait ses remarques sur ma "Gitane de mère". Il n'était pas question de m'adresser à lui pour en savoir plus long.

— Comment tu as fait?

— Un beau jour, en revenant de l'école du village, j'ai reconnu un de mes oncles qui marchait dans ma direction! C'était l'apparition d'un revenant; maigri, vieilli, il portait son éternel foulard autour du cou, son chapeau noir glissé derrière l'oreille. Avec Rosario, je retrouvais une part de maman. On s'est assis sur un banc, je lui ai posé des questions sur la remarque de mon «père». Il m'a raconté que les enfants Duteil — la famille de maman — étaient à demi tsiganes par leur mère, que maman, Eddy et lui avaient été arrêtés avec une compagnie de Tsiganes qui se cachaient dans les bois. Il était le seul de la famille a avoir survécu au camp de concentration...

«Quand daddy m'avait ramenée en Belgique, il aurait aimé m'accompagner dans la famille de maman. Mais le projet avait échoué, soit parce que tante Lisette était malade, soit parce que nous ne disposions pas de moyens de transport. Je ne suis plus certaine. Daddy est reparti, persuadé que mon "père" s'en chargerait plus tard. Mais non! Franz n'a jamais fait le moindre effort pour me permettre de renouer avec la parenté de maman. Il ne s'est pas donné la peine de sortir sa bagnole pour moi. Heureusement, mis au courant par Rosario, mon oncle Josse est venu me chercher. Franz n'a pas osé me refuser, enfin, une visite. C'est là que Lisette m'a révélé qui était mon père..

— Mais, j'essaie de comprendre... Tu avais un oncle tsigane, deux, un oncle Josse commerçant...

— Ma mère venait d'une drôle de famille... Ce n'était pas une femme banale non plus...

— J'ai envie de savoir, mais il y a un bon moment qu'on bavarde, j'ai peur de t'avoir fatiguée avec mes questions.

— J'aurais dû t'informer bien avant, j'ai eu tort. J'y pensais, ça m'obsédait, mais j'attendais... Quoi? On se croit éternelle, puis, un bon matin, déjà, il est trop tard. Je m'étais promis de...

— Chut… pas maintenant. Repose-toi. Je reviens demain… Il ne sera pas question de regrets ni de souvenirs pénibles. Tu vas me montrer comment rempoter mes azalées que j'ai peur de perdre. Et j'ai besoin de conseils pour le jardin. Ce sera le jour des fleurs. Pour le reste, quand tu en auras envie… si tu en as envie…

— Encore un mot. Tu m'as demandé si j'avais fait des recherches sur les Tsiganes. Oui. Je suis même allée les observer en personne! Un épisode qui s'est terminé en queue de poisson. Mais après mon suicide raté j'ai voulu tout effacer. Quelques années après la mort de ton père, j'ai eu envie de retourner à mes sources. La crise de la quarantaine, je suppose. Je me suis mise à lire tout ce qui me tombait sous la main, bien des sottises, quelques récits intelligents comme celui de Jan Yoos, un Gadjo contemporain de maman qui a longtemps vécu chez les Sintis, dans une famille tsigane. Mais les préjugés ont la vie dure. Quand est-ce qu'ils auront droit à leur monument en souvenir de l'holocauste, de leur holocauste? Dans leur langue, ils l'appellent le *porrajmo*. Je m'étais promis… Est-ce qu'il existe un enfer pour les promesses qu'on n'a pas tenues?

— Chut… cesse de te tourmenter…

— J'ai laissé des notes…

— Oui, tu m'as dit… Repose-toi maintenant… Tu as accompli l'essentiel, tu nous as aimés… Pour le reste, il y a ton manuscrit.»

Clara embrasse sa mère et l'installe dans le grand fauteuil où Mirka aime s'assoupir. Elle a trouvé difficile de dire: «Quand tu en auras envie, si tu en as envie». Au temps où Mirka était en santé, elle l'aurait harcelée de questions. Devant sa faiblesse elle est impuissante.

Rentrée chez elle, elle sort une chaise de la cuisine et s'assoit au jardin. Il fait frais, mais le soleil est bon. Le gazon commence à prendre de la couleur, les plantes et les arbustes sortent de l'hiver. La haie a besoin d'être taillée. Malgré la tristesse du jardin, elle se sent bien au grand air à contempler le travail à venir : dégager les arbustes pour laisser le champ libre aux muguets, contenir l'estragon devenu envahissant, planter du basilic et du romarin. La ciboulette reviendra-t-elle ? Il lui faudrait se mettre à la tâche, mais elle n'a pas l'énergie de bouger. Et puis, elle a accepté un contrat de traduction ; le texte l'attend sur son bureau. Les deux heures quotidiennes passées auprès de Mirka sont précieuses, mais épuisantes. Ce matin, sa mère a évoqué un mystère qui, tout en étant lointain, la concerne. Jusqu'ici elle s'est intéressée au passé qui touche de près sa propre enfance : la venue de son père Alex au Canada, le mariage de ses parents, le chalet inachevé, l'accident. Il existe une famille quelque part en Tchécoslovaquie, des cousins restés là-bas. Depuis la Révolution de velours, elle se dit qu'il n'y a plus d'obstacle à sa visite. Du côté de sa mère, elle n'est pas allée plus loin que leur entourage : tante Marion, oncle Robert, Sophie et Simon ; elle est allée en vacances chez tante Claudine, tante Julie habite Montréal et visite régulièrement ses cousines. Elle se rappelle son grand-père, le daddy auquel sa mère était si attachée. Et sa grand-mère ! Sa toujours élégante mamichou ! Elle aussi, et Liane, l'appelaient mamichou, comme Mirka. Elle la revoit encore se traîner par terre en se riant de sa belle robe pour amuser Liane. C'était avant la première attaque qui l'avait laissée diminuée. Malgré tout, du fond de son fauteuil, elle continuait de s'informer de tous et chacun, surtout, depuis l'apparition de son premier cancer, de Mirka. Elle s'en faisait tellement pour son «oiseau rebelle»! Il est peut-être préférable que lui soit épargné d'être le témoin de la maladie qui mine sa fille. Clara a conservé la jupe à plis écossaise que mamichou lui avait faite, et le béret assorti. Bientôt Liane sera assez grande pour la porter, si... elle le veut bien! Il paraît qu'aujourd'hui il faut laisser les enfants décider de leurs vêtements, ils apprennent à faire des choix! Pourtant les limites imposées à mamichou dans son enfance ne l'avaient pas empêchée de développer son bon goût!

Lorsqu'elle évoque ses grands-parents, leur souvenir est palpable. Le regard vif, la voix claire de sa grand-mère, le rire incontrôlé de son grand-père lorsqu'il contait une blague, sont en elle, font partie intégrante de son être. Elle prend conscience d'une réalité à laquelle elle ne s'est jamais attardée. Si, par l'affection qu'elle leur porte, elle les considère comme ses grands-parents, son corps ne contient strictement rien d'eux, leur ADN n'a laissé aucune trace en elle: si un jour elle meurt d'une commotion cérébrale, ce ne sera pas dû à l'hérédité de cette lignée. Le cancer de sa mère ne doit rien à celui de daddy. Depuis la première confidence de Mirka, se dessinent des personnages abstraits dont elle n'a pas encore saisi la place dans sa vie. Que lui ont apporté ces «vrais» grands-parents sortis de leur boîte à musique mécanique? Un passant — il se trouve que c'était un Tsigane — a jadis engrossé une jeune fille, sa grand-mère Marie-Lou, qui, étant donné la mentalité d'une époque hélas pas si lointaine, risquait le déshonneur. Elle avait choisi de ne pas se faire avorter. Parce qu'elle ne connaissait personne pour lui rendre le service? Ou parce qu'elle tenait à l'enfant? Tenait-elle à l'enfant qu'elle sentait bouger en elle ou au souvenir de son amour?

D'où vient à Clara ce besoin subit de remonter à des sources auxquelles elle ne songeait pas il y a un mois, qu'elle connaissait à peine? En se confiant, Mirka a provoqué un déclic, éveillé une soif des origines. Non seulement son grand-père, « le vrai », était un Tsigane, il n'était pas le seul de la famille. Sa mère a soulevé un premier voile, puis un second. Combien d'autres cachent la vérité?

Elle frissonne, le ciel est devenu nuageux, elle rentre préparer le repas. Martin a offert de ramener Liane de la garderie. Ce serait plus facile si la petite passait la journée là-bas. Autrefois, Clara consacrait la matinée à ses contrats de traduction et s'occupait de sa fille l'après-midi. Depuis qu'elle passe deux ou trois heures avec sa mère le matin — elle y tient —, elle a du mal à équilibrer travail et famille. Elle se sent tiraillée. D'un côté, une demi-journée en garderie est idéale pour Liane, c'est juste suffisant pour lui permettre de jouer avec d'autres enfants. Une journée complète, Clara a du mal à s'y résoudre. Plus tard, on verra… Mais le refus d'un contrat risque la perte d'un client, il faudra en parler à Jean-Noël. Ils se sont habitués à un certain train de vie.

Le lendemain, tel que promis, elle apporte ses azalées et l'avant-midi auprès de sa mère se passe dans la botanique. Le jour suivant, elles font la popote ensemble, c'est-à-dire que Mirka donne un coup de main à la mesure de son énergie. Ce soir, Martin mangera du bœuf en daube dont on congèlera les restes pour avoir des provisions, auxquelles s'ajouteront des portions de poulet chasseur et de soupe aux légumes. Au fond, Mirka, bonne cuisinière quand elle daigne s'y mettre, n'aime pas passer beaucoup de temps à la cuisine; depuis la dernière série de chimio, elle n'a pas d'appétit. Clara a l'impression que sa sollicitude soudaine pour le confort de Martin cache un besoin de se distraire en compagnie de sa fille par une activité qui ne la fatigue pas trop, puisque Clara assume la majeure partie de la tâche. Est-ce une stratégie d'esquive pour éviter une séance de confidences?

Le samedi, pas de garderie; Clara emmène Liane voir sa grand-mère, ce qui ravit Mirka, mais l'exubérance de Liane la fatigue et Clara abrège sa visite. Tout le week-end, elle sent monter une frustration à la pensée des distractions de la semaine qui se termine. Depuis que le cancer de Mirka s'est déclaré, elle a refréné son agacement devant les caprices de sa mère, qui, après avoir subi sa première mastectomie, leur avait servi une crise de «la chimio est inutile, elle rend malade, aussi bien laisser la nature suivre son cours». Puis, de manière tout à fait imprévisible, elle avait annoncé un beau matin que son premier traitement commencerait dix jours plus tard. L'entourage avait poussé un soupir et Clara s'était armée d'une patience inhabituelle devant les revirements occasionnels qui avaient suivi.

Avant que Mirka ne tombe malade, elles se téléphonaient régulièrement, se voyaient de temps en temps, mais conservaient la distance nécessaire pour éviter les étincelles. Lorsque Mirka avait obtenu un poste sédentaire en formation des agents de bord, elle avait tenté de réparer ses absences passées en étant très présente, trop présente : conseils sur les soins au bébé, l'organisation de la maison (pourtant pas son fort), l'emploi du temps. Clara, qui avait appris à se débrouiller sans elle, avait protesté. En silence, Mirka se reprochait de devenir «bosseuse» comme l'avait été Alex, mais elle ne pouvait s'empêcher de recommencer. Clara se plaignait des changements de cap de sa mère, des annulations de projet à la dernière minute, particulièrement gênantes lorsqu'elle comptait sur elle pour garder Liane. Une fois, Clara avait osé dire : «Tante Marion ne ferait jamais ça.» C'était maladroit. Mirka avait explosé.

La nouvelle l'avait assommée : comment sa mère, ce brasier fébrile et impétueux, pouvait-elle souffrir de cancer, d'un mal aussi sournois qui s'insinuait en secret dans les cellules du corps? On lui aurait appris que dorénavant le ciel serait vert et que les arbres perdraient leurs feuilles au printemps, elle n'aurait pas été plus abasourdie. Une femme énergique, pas commode il est vrai, mais n'était-ce pas là un signe de sa vitalité? Énergique et secrète. Entre les feux d'enthousiasme, des plages de silence. Entre les élans de tendresse, un retrait. Elle tolérait mal le pleurnichage. Lui avait-elle vraiment dit un jour : «Vois, moi je ne pleure pas»? Ou Clara l'avait-elle imaginé? Encore aujourd'hui, elle ne pleure pas. Il y a un certain temps, Marion a fait un commentaire sur le comportement actuel de Mirka, qui lui rappelait celui de ses premières années chez les Dumouchel. Tout comme à cette époque, Mirka a subi un choc, traverse une période de déni, rentre en elle-même et n'en sort que pour résister aux attentions de son entourage. Les commentaires de sa tante ont surpris Clara, car ils évoquaient des événements dont il est rarement question dans la famille. Mais elle reconnaît bien l'imprévisibilité de Mirka.

Jusqu'à récemment, elle situait sa mère dans le cadre des Dumouchel : Mirka était plus exubérante, plus volage et changeante que les autres membres de la famille, c'était tout. Leur cousine Claudine n'est-elle pas plus vive, plus charmeuse que Julie? Question de caractère : parmi les enfants réfugiés au Canada, tous n'avaient pas réagi de la même façon. Chacun de nous est unique. Mais il lui apparaît maintenant évident que Mirka a été profondément marquée par son enfance et la déchirure de son départ, qu'elle a été affectée par les révélations de sa tante Lisette au point de les taire pendant des années. Clara sent sa mère tiraillée entre le désir de lui faire des confidences, aussi pénibles à supporter soient-elles, et la peur de rendre trop palpable une vérité qu'elle préférerait effacer. Elle lui en veut d'avoir tardé à se confier, mais ne peut pas se résoudre à la troubler. Pourtant, elle a besoin de savoir. Lorsque tout sera clair, elle sera mieux en mesure d'assumer sa vie, sans cette chape que le silence fait peser sur elle. Elle a toujours observé une tension chez Mirka. Sa fébrilité, ses sautes d'humeur, ses contradictions, son passage d'une caresse à un silence, la déroutaient. Une fois qu'elle en faisait la remarque à sa tante: «Ah! maman, on peut jamais prévoir ce qui lui passera par la tête», Marion a répliqué que, enfant déjà, elle était ainsi. Un mot de trop, une tentative de l'intégrer dans une activité ou une conversation, elle s'envolait hors du présent, dans son monde. Inatteignable.

✢

L'état de Mirka se détériore peu à peu. Elle a besoin de morphine, la refuse parfois : «Je deviens incapable de penser, aussi bien mourir tout de suite. Je peux encore endurer mon mal. Quand ma fille est là, je veux profiter de sa présence. Clara, j'aurais tant de choses… Écoute, au cas où demain je serais dans les vapes : avant de me suicider, enfin, d'essayer, j'ai songé que ce serait sans-cœur de laisser dans le noir la famille qui m'avait accueillie avec tant d'affection. Tu me diras que c'était sans-cœur de leur causer pareille peine, mais ma détresse avait pris le dessus. Je leur devais une explication. J'ai commencé à rédiger ce que je savais de ma mère, de son mariage, de sa mort, de mon beau-père. Je suis remontée plus loin, jusqu'à mes grands-parents ; c'est par là que l'histoire commence. J'écrivais en vitesse, sans m'appliquer, je voulais juste qu'ils comprennent. Certains affirment qu'écrire soulage, je ne suis pas persuadée que ça guérisse du mal de vivre. J'ai laissé le manuscrit en vue sur mon pupitre avec la note "À ne lire qu'après ma mort". Tu parles si ça fait pompeux ! Il fallait être jeune ! Est-ce que, inconsciemment, je souhaitais qu'on vienne à ma rescousse ? Pourtant Dieu sait comme j'ai été furieuse contre Robert quand il m'a sortie du lac ! Quand, plus tard, Marion m'a demandé ce que j'avais fait du manuscrit, j'ai répondu que je l'avais détruit, que ce n'était plus la peine de le continuer. En fait, je l'avais caché.

«Après ma première opération et la série de chimio, je l'ai repris, je l'ai fignolé, j'ai clarifié des imprécisions. Cette fois-ci l'entreprise m'a fait du bien. J'arrivais à une certaine complétion. En apprenant ma maladie, j'ai dû faire face à ma mortalité, à la déception de ne pas avoir réalisé ce que j'avais espéré accomplir. Il reste l'angoisse de ce qui m'attend, la tristesse d'ignorer ce qui s'est passé dans la tête de ma mère le jour où elle est partie retrouver son Tsigane, et au moment de sa mort. Oh Clara! Elle était seule, tellement seule...»

Un souvenir lointain, oublié, remonte à la conscience de Clara. Elle avait quatre, cinq ans? Une nuit elle s'était réveillée, sa mère pleurait, elle pleurait comme Clara ne l'a plus entendue avant aujourd'hui. À l'enfant inquiète, elle avait répondu: «Je m'ennuie de ton papa, mon amour, c'est dur, tu sais, de perdre l'homme qu'on a aimé.»

Elle avait pris Clara dans ses bras et elles s'étaient bercées longtemps, en silence, jusqu'à ce que le sommeil les console. Il y a... près de trente ans déjà: est-ce possible? C'était hier. À nouveau Clara se berce dans les bras de sa mère, lui caresse le front, l'embrasse dans le cou, pleure avec elle une grand-mère qu'elle n'a pas connue, la femme dont l'absence a laissé à jamais sa blessure. Cette fois, aucun sommeil ne les consolera. La morphine offrira un moment d'oubli à Mirka, mais Clara sait que demain sera difficile et après-demain, et tous les jours jusqu'au dernier moment, et qu'après, elle se sentira affreusement abandonnée. Seul adoucissement à son mal: savoir que sont consignés quelque part les événements dont l'ignorance la hante. Le temps est compté : elle pourra passer celui qui reste à dorloter sa mère sans la harceler de questions, elle le passera simplement à l'aimer.

❖

Un soir, au crépuscule, Mirka évoque son enfance, « la toute première, celle d'avant Marion ». Martin et Clara sont à ses côtés ; Liane, à qui on a expliqué que, « chut », il ne faut pas fatiguer grand-maman, s'amuse en silence dans la pièce voisine. Mirka raconte la ferme, comme elle aimait s'occuper des poules et des poussins, nourrir les cochons. « Ils étaient drôles avec leurs grognements, quels paresseux ! » Elle raconte Daniel, la fois où il était tombé dans l'étang et qu'elle l'avait sauvé, elle tait la raclée de son beau-père.

« Quand je suis arrivée à Montréal, j'étouffais. Plus tard, la ville m'a apprivoisée, j'ai adoré me promener dans ses rues, dénicher des boutiques, des cafés. L'influence de Marion ? De mamichou ? Des vraies citadines celles-là. J'ai aimé découvrir d'autres villes. Enfant, j'avais la nostalgie des paysages champêtres, du grand air, des bêtes, des champs. À mon retour en Belgique à douze ans, j'ai déchanté. Rien n'était pareil, les travaux étaient devenus corvée. Daniel s'était détaché, j'observais des mesquineries, son éloignement. Oui, la ferme avait perdu son charme ; sans maman, elle avait perdu son âme. Au fond, je n'étais bien nulle part, je regrettais un ailleurs lointain, ou je le souhaitais. Tu as compris ça, Martin, on en a fait de beaux voyages ensemble ! C'était lequel, le plus beau ?

Ouarzazate, couleur du désert? Les espaces glacés d'Islande? Tu continueras, hein, après? Tu ne veux pas qu'on en parle, mais tu sais bien que je m'en vais. Moi qui aimais tant partir, cette fois je voudrais tant rester! Je resterais ici même sans bouger de mon jardin. D'accord, on n'en parle plus, mais je te le demande, après, fais ta vie, continue de voyager, d'explorer.»

Mirka reprend le fil de ses réflexions trois jours plus tard. «C'est vrai, j'ai voyagé. Trop? Je m'étourdissais, je fuyais… Moi qui avais voulu me donner une mission! Qui caressais le projet de parler de nous… Je dis nous, parce que moi aussi je suis une Tsigane, une Tsigane qui a longtemps ignoré qu'elle l'était. Parmi nous, il y a des escrocs, des gens honnêtes, des mesquins, des généreux. Parmi mon peuple, il y a eu des victimes ignorées et des héros qui n'ont jamais été décorés. Parce qu'on se moque des médailles de toc épinglées par des politiciens qui nous rejettent de leur société. J'ai eu la chance de faire des études, à l'époque c'était une exception parmi les miens. Ça changera, c'est sûr, ça change déjà, mais en attendant, je m'étais dit que, un jour, je me mettrais à la tâche, plus tard, toujours plus tard. On ne se méfie pas assez du temps.»

Les soins à domicile deviennent insuffisants, il faut l'hospitaliser. Sous l'effet des médicaments, il lui arrive désormais d'être incohérente: «Où est Marion? Il faut que je lui explique… Daddy, laisse-moi pas… Daniel est tombé dans la mare… maman va venir… tante Pauline ne veut pas… J'ai cherché, j'ouvrais des portes…» Les yeux à demi fermés, elle fredonne très bas, on l'entend à peine. Elle murmure: «La chanson… le vent… la route… la maman qui berce…»

Dans un moment de lucidité, elle confie une dernière fois ses souvenirs. «Maman aimait rire, chanter. Rire avec nous, chanter pour nous. Mon père, lui, était un méchant homme. Mon beau-père, je veux dire. Quand Daniel est tombé dans la mare, il n'a pas tenu compte du fait que j'avais plongé derrière lui sans savoir nager, que j'avais crié pour alerter l'entourage. Il m'a battue en m'accusant de l'avoir négligé. Oh c'était pas la première fois! Il était brutal, jaloux. Un assassin, un assassin aux mains blanches, mais un assassin. C'est que… c'est pénible d'aimer sans être aimé, d'être trompé. À sa façon, je suppose qu'il a aimé ma mère, sa Marie-Lou. Oh c'était pas un tendre! Il la voulait à lui sans partage, sans avoir à comprendre ou à accepter ses déchirements. En moi, il voyait seulement l'injure. Avec ma tignasse et mon caractère sauvage, j'étais l'image constante de son échec. En se débarrassant de moi, en m'envoyant en Angleterre, il a cru que la vie reprendrait dans l'ordre. Mais Marie-Lou n'était pas femme à rentrer dans le rang. Avant de mourir, j'essaie de comprendre, de faire la part des choses. Ça n'excuse rien, je ne lui pardonne pas. Je le laisse entre les mains de Dieu, si Dieu il y a.»

Sur les nuits et les jours suivants règnent le silence, les chuchotements, les mains serrées, l'eau fraîche sur le front, les inquiétudes et les assurances:

«Ça va? Veux-tu un autre oreiller?

— Un peu plus haut, merci, c'est bien comme ça.»

Parfois de tendres taquineries:

«C'est ça, dis que je suis insupportable.

— Mais oui, voyons, tu le sais, et on t'aime comme ça, on serait déçus si tu changeais.»

Elle dort sans se reposer. Elle secoue la tête, fronce les sourcils. Son visage exprime une indicible souffrance.

Maman, ma si lointaine, toi qui m'as aimée la première. Tu t'en es allée, je poursuis ton ombre dans des couloirs interminables, des hôtels délabrés et glaciaux, des prisons vides dont les murs résonnent de gémissements. Je vais te toucher enfin... Père — celui que j'appelais père — me barre la route, je frappe sa poitrine avec mes poings d'enfant, il rit et grossit, remplit l'espace...

Elle s'éveille en criant. Clara se penche :
« Tu as fait un cauchemar ?
— Je rêvais à maman. Est-ce que j'ai crié ?
— Tu étais agitée.
— C'est la morphine.
— Tu avais mal ? Tu as mal en ce moment ?
— Moins. Si je pleure, c'est de la peine que je vais te causer, que je te cause déjà. C'est si bon de t'avoir là, ta main dans la mienne. Quand je songe à maman... »

Je l'imagine seule dans un corridor à la fois sans fin et trop court... Sans fin comme la perte de l'espoir, trop courts ces quelques pas vers l'inimaginable.

Et après, maman ? Après la nudité, la bousculade, la douche létale, l'ultime jet, ton ombre a-t-elle erré ? Dans la grisaille du camp, derrière les barbelés qui ne te retenaient plus, entendais-tu encore les cris des victimes ? Tout n'a-t-il été qu'horreur ? Ou, dans la mort la plus cruelle, reste-t-il un moment béni, une vision ancienne, une lumière, les derniers éclats des soleils d'autrefois ?

J'ai été hantée par le désir que mon image, le souvenir de l'enfant de sept ans penchée à la fenêtre du train, que

cette image t'ait servi de talisman dans la puanteur de la
promiscuité, au milieu des ordres aboyés par les geôliers.
Seul cet espoir m'a empêchée de devenir folle, le souhait
que je t'aie apporté assez de bonheur au cours des sept
années que j'avais passées auprès de toi pour éclairer, ne
fût-ce qu'un instant, ton exode vers la nuit. C'est ma
seule consolation. Dis-moi, dis-moi… Attends-moi…

Clara, Martin et Marion se relaient auprès de la malade, Robert et Sophie passent souvent à l'hôpital. Il arrive qu'un soir ils se trouvent tous autour de son lit, même la petite Liane qui demande :

«Est-ce que c'est vrai que tu es arrivée à Montréal quand tu étais déjà une petite fille, que tu ne connaissais pas tante Marion avant ?

— Eh oui, mon bichon. Ta maman te racontera toute l'histoire. Marion, parfois encore, quand j'entends ton nom, le visage qui m'apparaît est celui que tu avais à huit ans, entre daddy et mamichou. Je vous revois tous les trois au bout du quai de la gare, souriants, beaux comme dans les magazines, mamichou coiffée d'un canotier fleuri et toi d'un grand chapeau de paille, avec tes longues tresses châtain clair et ton sourire timide. Tu t'es approchée pour m'embrasser et moi je me suis détournée. Tu étais si "voulante", si prête à m'aimer, et je me détournais. Je le regrette, il y a eu bien des fois plus tard où j'aurais voulu repartir à zéro et te prendre par la main.

— On n'était pas conscients de l'entreprise dans laquelle on s'engageait ! Je m'attendais à une petite sœur de conte de fée, et on a reçu un oiseau blessé. J'étais naïve, maladroite, je ne savais pas comment panser tes blessures. Mais on a fini toutes les deux par apprendre comment s'aimer. Moi, je ne regrette rien. Ça a été une belle aventure.»

Marion se penche et elles s'étreignent longuement. Marion s'efforce de ne pas pleurer, Mirka lui murmure à l'oreille: «Je t'aime, ma grande sœur.»

Elle se tourne vers les visages aimés qui l'entourent.

«Robert, mon beau Robert, j'ai bien peur que cette fois-ci tu ne pourras pas me sauver.

— Je replongerais dans la glace pour te garder encore longtemps avec nous autres.

— Je suis contente que tu aies plongé, je ne t'ai jamais remercié, mon héros! Je répare mon ingratitude. Merci pour trente, quarante ans, j'ai pas compté, merci pour Alex, pour Clara, Liane, Martin. Puis je suis bien contente que t'aies épousé Marion.»

Robert n'arrive plus à parler, il lui serre la main.

«Ne pleure pas, ne pleurez pas. C'est pas que j'aie hâte de vous quitter, mais puisque ça doit se faire, ce serait bien de mourir comme ça, avec vous tous que j'aime autour de moi.»

Le lendemain, elle dort par intermittences. Lorsqu'elle ouvre les yeux, son regard suit le va-et-vient des infirmières, le frémissement du rideau à la fenêtre. Elle sent la main de sa fille sur son front, murmure: «C'est bon.. Reste là...» Clara s'approche de son oreille: «J'ai téléphoné à tante Marion, elle s'en vient...» Mirka bouge les lèvres, ouvre les yeux une dernière fois, et Clara demeure seule auprès d'elle pendant quelques instants hors du temps, jusqu'à l'arrivée de Marion.

7
1990

Selon son vœu, les cendres de Mirka furent portées, un jour de grand vent, jusqu'au sommet du monticule qui se dressait derrière le chalet de Robert et, libérées de l'urne en bois qui les renfermait, elles s'envolèrent en direction du lac. Le chant funèbre d'un huard invitait au silence. Les témoins se tinrent par la main et chacun pria le Dieu qui lui donnait réconfort et espérance ou égrena, pour lui seul ou elle seule, le chapelet de ses souvenirs. Martin remit en place le couvercle de l'urne et la tendit à Clara, qui la tint un moment contre son cœur. Il lui semblait qu'elle contenait encore un reste de poussière, où au moins l'odeur de ce qui avait été le corps de sa mère. Elle aurait aimé conserver quelques os polis comme il est coutume au Japon, mais n'aurait pas osé le demander aux instances anonymes qui avaient procédé en toute routine à l'incinération.

Marion et Robert, en ce domaine fidèles à la tradition, regrettaient que Mirka ne repose pas en terre, ou du moins en un lieu où honorer ses cendres et laisser un bouquet de fleurs. Mais ils respectaient sa décision.

Mirka n'avait jamais supporté les entraves, il était juste que ses cendres s'envolent avec le vent.

Environ un mois plus tard, après avoir rangé les vêtements de sa mère (tâche à la fois pénible et douce, corvée et prolongement de sa présence), Clara ouvrit le manuscrit que Mirka avait laissé. Elle le lut d'un trait, demeura songeuse plusieurs jours. Elle avait l'impression que flottaient autour d'elle des bouts de fils dont l'un, si elle parvenait à le saisir, la guiderait vers... quoi? Une direction, une route? Rien d'aussi précis. Une amorce, une invitation à l'action qui donnerait une nouvelle orientation à son existence.

1913- : ROSA, MARIE-LOU ET LES AUTRES

Mami est morte à quarante-trois ans. Cancer du sein. Maintenant c'est mon tour. J'ai eu la chance de bénéficier des progrès de la médecine, mais je sais que la rémission est terminée. Bientôt recommencera la ronde. Je n'ai pas envie d'y entrer, je préférerais contempler de loin le carrousel des traitements et attendre que la musique cesse. Mais je me connais. Entre la perspective de la mort imminente et l'espoir de lui voler quelques mois en compagnie de ceux que j'aime, je changerai peut-être d'idée. Vous avez souvent subi mon inconstance.

Clara, Marion, c'est pour vous surtout que je reprends cette histoire, petit récit bâclé rédigé à la hâte avant de m'en aller mourir au fond d'un lac. Marion, je voulais alors t'aider à comprendre mon geste. Lorsque mon projet a avorté, j'ai cru les explications inutiles, mais je n'ai pas eu le cœur de détruire le texte. Il est resté tapi quelque part et maintenant je le restaure en tentant de lui donner une certaine consistance. Avant de te quitter, Clara, je désire te laisser en possession d'un passé que tu transmettras un jour à Liane. Il est sombre, mais allégé par des moments de tendresse et la lumière de la sollicitude. Je serai guidée dans mon récit par une sorte de folklore familial transmis par les confidences de ma tante et de mes oncles, et par mes souvenirs. Ils sont si lointains, il se peut que s'y glisse un peu de mon imagination. Si je pèche par trop grande fantaisie, ne m'en veuillez pas. Soyez assurées que la couleur, les sentiments, les angoisses et les passions des personnages sont d'une totale fidélité.

Ma grand-mère maternelle a été la première à franchir une frontière. Rosa. Bien avant moi elle a vécu le déracinement. Un déracinement souhaité, motivé par l'amour. Le seul acceptable. Mami: je me souviens d'elle dans un nuage, de sa chaleur, de sa voix chantante. Elle m'enveloppait de ses bras ronds et me gavait de bonbons et de limonades. Si rarement. Trop rarement! Je n'avais pas sept ans. Plus tard j'ai découvert sa patience, son ardeur, son courage, et ce à quoi elle avait dû renoncer. Femme-enfant initiée par sa mère aux tâches maternelles, Rosa courait pieds nus en compagnie d'une nuée de petites Tsiganes comme elle vouées à une éphémère adolescence, ne connaissait du monde que la bulle rassurante de sa tribu. La race pâle des fermiers et des commerçants, les Gadjé, s'étendait au-delà du campement, derrière une frontière invisible. Les sédentaires et les nomades vivaient un temps côte à côte. Ils s'ignoraient, se méprisaient mutuellement, mais chacun avait besoin de l'autre, les nomades pour renouveler leurs provisions et faire commerce de chevaux, les sédentaires pour élargir leur clientèle. Pour des raisons plus obscures aussi, inconscientes : le plaisir, une crainte délicieuse de l'inconnu, l'attrait du feu et de la route. Mais, par méfiance mutuelle, on restait entre soi. Les relations, même cordiales, demeuraient utilitaires ou passagères. Un jeune Rom pouvait marivauder autour des filles au cours d'un bal de village, en séduire une et laisser sa semence de nomade chez les sédentaires. À la fille de se débrouiller ! Envers les Gadjé, on n'avait d'autre obligation que la parole donnée. Il s'agissait de ne rien promettre. Mais qu'une jeune Tsigane laisse un étranger mettre la patte sur son corps, malheur à lui ! Il devait faire face à tous les hommes de la *cumpania*. Quant à elle, si elle se relevait de la raclée qui l'attendait, elle pouvait espérer longtemps avant qu'un fiancé se présente ! Son seul salut : que personne ne l'ait vue, tout un défi dans ce monde clos. Ou encore, épouser son amoureux, et dans ce cas, elle disait adieu à son passé. Mais rares étaient les garçons prêts à présenter une «Bohémienne» à leurs parents.

Pourtant, il y aura toujours des fous qui prendront leur élan au-dessus de l'abîme, qui partiront dans la nuit noire sur une route inconnue, étroite, cahoteuse, couverte d'obstacles et de débris. C'est la route suivie par Josse et Rosa, mes grand-parents. Tes arrière-grands-parents, Clara.

Josse… De lui je sais peu de choses, sinon qu'il m'aimait. Je suppose qu'il se destinait au commerce, comme son père. Un adolescent assez romantique pour tomber amoureux d'une Tsigane cachait peut-être derrière son comptoir des idées de grandeur, d'études, de carrière. Mais à cette époque, il revenait aux parents de tracer la voie de leurs enfants, et peu de jeunes gens se rebellaient. Le commerce allait bon train grâce à la collaboration de la famille entière. On avait beau profiter de toutes les occasions de faire des affaires, accepter tous les clients qui se présentaient, même les Tsiganes, il fallait calculer au centime près. Le père et la mère s'affairaient à la cuisine de l'auberge, les filles au service et au ménage, le fils à l'épicerie attenante. C'est là que Rosa est entrée un jour avec ses sœurs, ses cousines? Comment démêler les liens chez les Tsiganes? Elles circulaient en bande, comme d'habitude, déterminées à distraire le commis qui les servait, afin de mieux fureter et empocher. Ce jour-là, la collecte a dû être exceptionnelle. Josse n'avait d'yeux que pour elle.

Quand la bande de filles est revenue, elle s'est chargée d'amuser le jeune homme tandis que ses compagnes frôlaient tout de leurs doigts. Josse Duteil était beau gars, grand, blond, poli, exotique à ses yeux et il arborait le sourire moqueur de celui qui n'est pas dupe du manège. Comme disait son père, il valait la peine de laisser s'égarer quelques biscuits et bonbons pour gagner une clientèle. Lorsque les Tsiganes organisaient une fête à la salle à manger de l'auberge, l'alcool coulait et les pièces d'or aussi. La *cumpania* avait établi son campement non loin du village et revenait chaque année. Certains fermiers protestaient: les clôtures n'étaient jamais assez hautes pour protéger les bêtes, à tout moment un poulet ou un cochon disparaissait, «seulement ce dont nous avons besoin» auraient répliqué les Tsiganes s'ils s'étaient donné la peine de se justifier auprès d'un Gadjo.

Il est vrai qu'ils ne chipaient pas tout, mais leurs besoins étaient grands. Les fermiers dont l'enclos était mieux protégé ne disaient rien : ils profitaient du passage des Tsiganes pour vendre leurs chevaux, ou en acheter. Chacun était persuadé qu'il avait roulé l'autre. Les commerçants recueillaient la manne d'une clientèle curieuse et riche sous ses guenilles. Je sais, pour l'avoir vécu, quel ennui exhalaient les rues vides de ces calmes villages. L'irruption d'une troupe haute en couleur éveillait des désirs jusque-là insoupçonnés. Les fermières et villageoises n'auraient jamais porté de bijoux aussi brillants, de vêtements aussi vifs que les audacieuses nomades. Mais j'aime à croire que plus d'une, le soir, en dénouant sa chevelure, jetait un coup d'œil à son miroir ; elle s'imaginait alors drapée de foulards bariolés, les anneaux d'or à l'oreille ; séduite par sa nouvelle image, elle rêvait un instant d'une vie libérée de toute routine. Et si, au lit, un mari que l'habitude avait rendu rude ou distrait ou maladroit, s'emparait de son corps, pressé de se détendre après sa journée de travail, peut-être, s'il se donnait la peine de le remarquer, la trouvait-il plus douce, plus ac- cueillante parce qu'elle se rappelait l'œillade désirante et le sourire de connivence d'un bel étranger qui avait bousculé sa sérénité. Le lendemain, le cœur battant, surprise de sa propre témérité, elle oserait tendre la main vers une Tsigane à l'allure un peu terrifiante qui, faisant semblant de lui scruter la paume, lui promet- trait prospérité, enfants, heureux lendemains, tout en se moquant intérieurement de la naïve qui croyait à ces balivernes.

Lorsque Rosa est entrée à l'épicerie Duteil la première

fois, on était au début de l'été. Il restait des semaines, des mois, avant le départ de sa compagnie. Que s'est-il passé sous le ciel clair et les nuages blancs de l'été ? Des baisers volés ? Des promesses ? Lesquelles ? Elle avait quatorze ans, et lui dix-sept, un âge où le cœur choisit, mais où la décision repose entre les mains des autres.

Au printemps suivant, elle avait été promise à un « vieux » de trente-cinq ans. Comment s'y prit-elle pour l'annoncer à Josse ? L'apprit-il d'une de ses compagnes ? Désespéré, il se tourna vers son père et l'implora d'aller demander Rosa en mariage avant qu'il soit trop tard. Inconscience de la jeunesse amoureuse ! Monsieur Duteil père, qui n'avait aucune intention de faire entrer une « Bohémienne » dans sa famille, était sûr qu'aucun Tsigane ne lui donnerait sa fille. Il risquait son courroux et la perte de sa clientèle. De toute façon, comparées aux troubles qui s'annonçaient sur toute l'Europe, les romances des jeunes gens ne pesaient pas lourd. Les événements devaient lui donner raison : fin juin 1914, l'assassinat du grand-duc François-Ferdinand d'Autriche servit de prétexte au déclenchement du premier conflit mondial. La mobilisation décrétée peu après força Josse à prendre le chemin de la guerre plutôt que celui de l'autel. Aucun parent ne voit partir son fils sans un serrement de cœur, mais ce départ pour le front, malgré tout, arrivait à point.

Quant aux Tsiganes, ils ne voulaient surtout pas se trouver entre deux feux. Ils levèrent le camp en vitesse et le mariage fut précipité. Pauvre Rosa ! Avait-elle exprimé des réticences à son père ? Étant donné l'âge du mari, il n'y aurait eu là rien d'étonnant. Mais à cette époque le père avait le dernier mot.

❖

Au bout de quatre longues années, la guerre a pris fin. Josse est revenu de France un bras en moins, en boitant légèrement. Blessé par une grenade, il avait été évacué derrière le front dans un hôpital français. Pendant les hostilités, les Tsiganes avaient poursuivi leur route loin des conflits. Depuis l'armistice, ils retraçaient leurs pas et une nouvelle *cumpania* est venue s'installer dans l'ancien campement. Il n'y avait pas grand-chose à vendre ni à voler dans les régions appauvries et dévastées, mais les Gadjé avaient plus que jamais besoin de rêves, de bonne aventure, de spectacles. Après la laideur des dernières années, Josse avait soif de beauté et de tendresse, il aspirait à une lumière qui éclairerait son existence médiocre de blessé de guerre oublié. Devant lui s'étendait la platitude des jours et des ans : que pouvait faire un manchot sans instruction, sinon servir aimablement la clientèle dans la boutique de son père ?

Et Rosa, pendant ce temps ? À son mariage, elle avait quitté ses parents pour se joindre à la *cumpania* de son mari. Combien de fois avait-elle songé à Josse alors que Koré lui faisait l'amour ? Mais Koré était un brave homme, et faute de passion, elle l'estimait. Quand il s'était tué dans un accident de cheval, elle l'avait regretté, car sa mort la laissait seule avec son enfant. Sans son appui, elle se retrouvait étrangère au sein de la *cumpania* de Koré, loin de sa famille et de ses amies d'enfance. Devenue veuve, elle aurait pu se remarier, ce qui aurait été souhaitable pour la petite Malu. Mais elle ne se décidait pas à faire un choix. Elle attendait elle ne savait trop quoi et glissait dans l'indolence.

Un beau matin, une enfant à ses jupes, Rosa est entrée à l'épicerie. Elle a pris dans ses bras la petite qui a fait un grand sourire au commis. Il était amaigri, son sourire jadis taquin s'était attristé. Mais en apercevant sa mince silhouette, Rosa a senti battre son cœur comme au temps où elle était encore la jeune fille insouciante qui avait échangé avec lui des propos badins. On peut refuser de céder aux caprices d'un jeune inconscient, mais comment priver le héros qu'on a failli perdre de sa part de bonheur? Monsieur Duteil aurait souhaité que son fils se console auprès d'une fermière ou d'une villageoise des environs, il aurait même accueilli une Française, mais une Tsigane! Il a convaincu sa femme en soupirant et a prétexté la cherté des temps pour manifester subtilement sa déception en lésinant sur les frais de la noce. Et pas question de compter sur la famille de la mariée! En dehors de quelques bijoux transmis par sa mère, Rosa n'apportait rien qu'un pauvre baluchon et quelques vêtements en nombre insuffisant pour vêtir dignement la caissière d'un commerce. La caissière? Savait-elle même compter? Elle était avenante et les clients, une fois passé le purgatoire des commérages et des regards méprisants, ont fini par s'habituer. Comment ne pas répondre à l'entrain de la petite Malu, que les Duteil avaient fait baptiser, à l'occasion du mariage, sous le prénom plus chrétien de Marie-Lou? Josse avait adopté l'enfant sans hésiter et l'a toujours considérée comme sa fille. Je n'ai pas connu d'autre grand-père.

«Un mariage d'amour», affirmait tante Lisette. Faut-il croire qu'il était sans failles? Amoureuse, grand-maman était un exemple de bonne volonté.

Elle accompagnait Josse à la messe le dimanche, a fait faire sa première communion à Marie-Lou. Vaillante, elle entreprenait sans hésiter de gros travaux et offrait de faire la lessive de sa belle-mère, ce que celle-ci appréciait. Mais comment grand-père, élevé dans un intérieur où tout avait sa place, réagissait-il au désordre que sa jeune épouse laissait derrière elle? Sa conception du ménage consistait à trouver un coin où s'asseoir. Sa belle-famille plissait-elle le nez devant les odeurs bizarres qui s'élevaient des mets chauds? Je me doute des préjugés auxquels elle a dû faire face! Il semble que Josse se soit accommodé de la situation. Il était si heureux d'avoir enfin sa Rosa auprès de lui! Lui qui avait survécu à des années de guerre et à un séjour à l'hôpital, qui pendant des mois n'avait eu pour compagnie que le souvenir d'un été enchanté et le désespoir d'avoir perdu son aimée, a préféré ne pas s'attarder à des vétilles alors qu'il avait obtenu l'essentiel, l'amour de Rosa.

Et Rosa, a-t-elle été déçue? Que savait-elle de l'homme pour qui elle avait quitté plus que sa famille, l'univers qui avait été le sien, un univers de solidarité, certains diraient de promiscuité, sans barrières entre voisins, un univers mobile au décor changeant? S'il faisait froid l'hiver dans la roulotte, si pour se nourrir il fallait compter au jour le jour sur des astuces et des ruses, Rosa n'était jamais seule, même dans le silence de la nuit. Et si l'on se disputait parfois jusqu'au point de se battre, au moins on savait ce qui trottait dans la tête des gens, alors qu'ici elle n'était jamais sûre des sentiments de ses beaux-parents. Josse n'était plus le garçon taquin, les propos galants à la bouche, qui adorait faire virevolter les filles au bal du village, qui avait bravé les conventions et osé inviter la belle Tsigane à danser, qui, caché dans les bois, serrait sa belle entre ses bras virils en lui jurant un amour éternel. La guerre ne lui avait laissé qu'un bras pour l'étreindre, et il ne pouvait faire tournoyer sa belle dans une ronde endiablée qu'en clopinant. Au cours des mois d'isolement à l'hôpital militaire, une mélancolie insidieuse s'était glissée en lui et refaisait surface de temps en temps. Il comptait alors sur Rosa pour servir la clientèle, restait discrètement à faire des inventaires ou s'isolait dans un cagibi à régler des comptes qui auraient pu attendre.

Grand-maman ne se plaignait pas des poussées de morosité de son mari; elle restait d'humeur égale et l'encourageait, rappelait aux enfants qu'il avait subi à la guerre plus qu'une blessure du corps, une blessure du cœur qu'ils devaient alléger par leur amour. Au bout de l'hiver, les nuages se levaient, le sourire de Josse revenait avec le printemps, il redevenait lui-même, tendre et attentif. Somme toute, elle a maintenu vive la flamme de son amour en mariant passion et sagesse.

Josse et Rosa ont eu quatre enfants, deux Tsiganes et deux Gadjé. Oh! ce n'était pas inscrit sur leur front dès la naissance, on ne peut pas affirmer que leur physique ait déterminé leur voie: le sage sédentaire petit Josse avait la tignasse noire et bouclée de sa mère, alors qu'Eddy, grand blond au regard rêveur, dès douze ans allait traîner dans les parages d'une *cumpania*. L'année suivante, il se joignait aux oncles et cousins devenus une seconde famille. Le romani appris sur les genoux de sa mère a dû favoriser son intégration. Josse fils et Lisette sont restés auprès des parents, Eddy et Rosario ont pris la route tôt, enivrés de grand air, de mouvement, de courses lointaines sur des chevaux magiques, de coude à coude, de chansons retrouvées. Grand-père a dû être peiné par leur départ. Lui qui était né et avait grandi dans une tradition de fidélité au village, à la maison paternelle, au commerce exercé de père en fils, se voyait préférer l'intemporel et l'éphémère, la route du vent. Peut-être avait-il ressenti lui aussi, jeune homme, un désir de liberté inassouvi, peut-être avait-il souhaité s'arracher à la monotonie des jours. Sa fuite, il l'avait trouvée dans les yeux de sa belle Tsigane, dans son accent parfumé par les intonations de romani. S'attendait-il à voir ses fils reprendre le voyage ? Vécut-il leur choix comme un rejet ? Et Rosa, quel a été le partage en elle entre le vide de leur absence et la fierté de son sang ? Son mariage n'avait pas éteint la lignée. Il nous reste, quelque part dans une roulotte moderne motorisée, des cousins qui perpétuent ce qui aurait pu devenir notre mode de vie.

Mes grands-parents sont si lointains ! Vaut-il la peine de les évoquer ? Quel sens aura leur destin pour Liane appelée à vivre dans un monde étourdi d'informations, d'opinions ? En quoi peuvent peser des traditions vétustes, un mode de vie suranné ? Aujourd'hui les Tsiganes roulent en voiture ou se sont sédentarisés. Pourtant les souvenirs longtemps en veilleuse que je ressuscite ici ont pour moi quelque chose d'idyllique, témoignent d'un âge d'or trop tôt évanoui. Le merveilleux fumet des soupes de mami, la tendresse de grand-papa qui me faisait sauter sur ses genoux ! Si je m'y attarde, c'est peut-être pour différer le moment où le charme a connu une première rupture.

Maman, la fille de Koré, était la seule pure Tsigane des cinq enfants de Rosa. À quinze ans, elle accompagnait ses frères aux alentours du campement. L'accueil de ses «cousines» était tiède, plus chaleureux était celui des jeunes gens, moins intéressés par les vieux scandales que par l'audace rieuse de la belle brune.

Il s'appelait Roman. Mon père. Chez les Tsiganes, il avait la réputation d'être fantasque, d'humeur changeante. Il aurait été libre d'épouser Marie-Lou, elle a dû l'espérer. Comment ne pas croire les mots doux du premier homme qui avait gagné son cœur? Comment imaginer que leur douceur n'avait qu'un but, affaiblir ses défenses et la posséder le temps de quelques cris d'amour? À l'automne, il plia bagages sans un mot et partit avec sa *cumpania*.

Quelle douleur a dû être celle de maman! À celle de l'abandon — je sais comme elle fait mal! — s'ajoutait la consternation de ne pas voir apparaître ses règles, le découragement, le désarroi, la solitude. Avait-elle une amie à qui se confier? Sa sœur Lisette était encore bien jeune... A-t-elle songé à avorter? Où se tourner? Tenait-elle à garder l'enfant de Roman? Me sentait-elle bouger en elle? Quelle fut la part des influences dans sa décision d'accepter la demande en mariage de Franz? Demande qui se présentait à point, bouée de sauvetage des filles «fautives». Il est sûr que les respectables grands-parents Duteil auraient très mal réagi à une naissance illégitime: s'il était pénible d'accueillir dans la famille une bru gitane, au moins les enfants issus de cette union étaient nés dans la légalité et la moralité. L'union avec Franz a-t-elle été forcée afin de mettre fin aux racontars?

Josse et Rosa que j'ai aimés, comment vous en vouloir? Aujourd'hui, il serait facile d'affirmer que vous auriez mieux fait de tourner le dos aux qu'en-dira-t-on, d'accueillir l'enfant, d'encourager Marie-Lou à m'élever seule avec votre support en espérant qu'un brave homme m'accepte un jour, comme Josse avait ouvert sa porte à la petite Malu. Ce raisonnement est d'une époque récente, très récente: je préfère ne pas imaginer la réaction de mamichou si j'étais revenue enceinte de ma tournée des Amériques!

Je suis donc née dans la respectabilité. Si quelques chipies ont calculé les mois, ce détail a fini par être oublié. Un léger accroc n'était pas exceptionnel; l'essentiel était que la bénédiction de l'Église et de la société ait précédé la naissance. Les langues se sont remises à tourner quand on a vu grandir la sauvageonne que j'étais. Pauvre Franz! On le plaignait. Que j'étais noiraude, encore plus que ma mère! Au moins maman était joyeuse, aimable, alors que j'étais maussade. Par quel caprice avait-elle insisté pour m'affubler d'un nom si païen? Un nom que le prêtre, au moment du baptême, avait entouré d'un barrage protecteur de prénoms bien sages: Louise-Pauline-Marie-Mirka-Odile. La litanie est bien inscrite sur mon acte de naissance! Odile était destiné à rester officiel. Vous me voyez en Odile? Maman a refusé de suivre ses directives: «Donner à son enfant un nom qu'on aime, en quoi est-ce péché? Qu'est-ce que ça fait, qu'il n'y ait pas de sainte Mirka, d'ailleurs qu'est-ce qu'il en sait?» J'ignore pourquoi elle y tenait tant: était-ce un nom qu'elle avait entendu prononcer par Roman? Voulait-elle garder un lien avec la famille qu'elle irait rejoindre un jour?

Pauvre Franz? J'ai peine à croire à sa grandeur d'âme. Oui, il a été amoureux de maman, avidement amoureux, pressé de la posséder, de montrer à tous qu'elle lui appartenait, qu'il avait arraché à ses rivaux le beau brin de fille qu'en d'autres circonstances il n'eût pas gagné. Avait-il suffisamment d'élégance, de compassion, pour accueillir sans rancune Marie-Lou enceinte d'un autre et ouvrir les bras à une enfant qui n'était pour rien dans leurs rouardes d'adultes?

Il est probable que ma naissance a été un choc. Un regard sur la noire enfant qui n'avait rien de lui et de toute évidence n'était pas un bébé prématuré, un retour sur la première fois qu'il avait pénétré avec un cri de triomphe celle qu'il croyait avoir gagnée de haute lutte, et il a pris pleinement conscience qu'il avait été floué. N'avait-il eu aucun soupçon? Il a dû ressentir une extrême frustration qui n'a pas éclaté sur-le-champ, mais qu'il a couvée. Incapable de pardonner à maman, incapable de comprendre, il a laissé la rancune miner leurs rapports. D'instinct, pour sauver sa propre réputation, il a maintenu la façade et joué le rôle du père. Le désir qu'il avait d'elle, toujours tenace, les gardait liés. Je n'étais qu'une enfant, je ne comprenais pas ce qui se passait dans la chambre où il l'entraînait, mais je sentais dans mes fibres qu'elle le suivait sans plaisir. Pourtant je n'ai jamais été témoin qu'elle hésite ou proteste. Une façon de racheter son mensonge? «Comme on fait son lit on se couche»: j'ai entendu maintes fois de sa bouche ce dicton contre lequel elle s'est révoltée un jour.

Sa révolte, je n'en ai pas été témoin. Que puis-je en dire? Ma fée Marie-Lou s'est évanouie dans un enchantement maléfique. Elle a secoué le joug de Franz qu'elle avait accepté pour moi. Lorsqu'elle s'est rendu compte que, contrairement aux assurances de son mari, les Allemands étaient à leur porte et qu'elle n'avait aucun espoir de me rejoindre, elle a dû se sentir engloutie dans une nuit dont elle ne voyait pas l'aurore. Est-ce que je fabule? Est-ce que j'ai souhaité maman inconsolable, tout en sachant que, au cours de cette nuit, elle a suivi son Roman retrouvé, ses frères, sa famille tsigane? Et le petit Daniel? Fils aimé d'un père haï, quel poids avait son existence à côté de la mienne? J'étais l'enfant de l'amour, l'absente. Daniel, le bien-aimé des Doineau, lui avait été enlevé tempo-rairement, «pour le protéger», prétendait Franz, de crainte que les inquisitions allemandes en quête de signes distinctifs ne reconnaissent en sa femme «les traits des races inférieures» et que cette malédiction ne retombe sur la tête de son fils. La guerre a-t-elle envenimé leur couple déjà empoisonné?

Autour d'eux la guerre, entre eux la guerre, une guerre où chacune des parties tentait de faire le plus mal possible à l'ennemi. «Tu pleures ta sauvageonne, la fille de l'autre? Tu n'auras pas mon fils non plus. Seule ma mère est digne de l'élever.» «Tu me méprises, tu méprises ma mère, mes frères, mon sang tsigane? C'est parmi eux que je me sens chez moi, je suis étrangère ici, je te débarrasse de ma présence.» Si Franz avait manifesté un peu plus de compassion, si elle avait pu nous garder autour d'elle, Daniel et moi, aurait-elle été attirée par la vie de Bohême?

Enfant, je la voyais grande, imposante, la protectrice auprès de qui aucun malheur ne pouvait m'atteindre.

Quand, mère à mon tour, je songe à elle, sa fragilité me brise le cœur. Elle est devenue mon petit enfant vulnérable que je voudrais bercer et défendre à mon tour, ma mère-enfant qui cache encore ses mystères.

⁘

Mechelen. Comme l'enfant qui tend le doigt pour vérifier à quel point la flamme brûle, j'y suis allée un jour, irrésistiblement attirée par... la recherche d'une vérité ? Une belle ville, Mechelen, de son nom français Malines. Sa cathédrale est l'une des plus impressionnantes de Belgique. Des piliers blancs dressés le long de la nef se joignent en un arc gothique pur. Aujourd'hui tout respire la clarté et l'harmonie. Mais cette harmonie me faisait mal. Car ce n'était pas l'architecture de la ville qui avait guidé le choix des occupants, c'était sa situation au confluent d'un réseau de chemins de fer. Ils savaient où parquer les rebuts de l'humanité en transit vers l'enfer. D'anciennes baraques militaires, reconverties en camp, pouvaient contenir des milliers de personnes si on les entassait bien. L'endroit idéal pour réunir les nombreux Juifs de la région et les évacuer vers l'Allemagne. Quant aux Tsiganes, toujours en mouvement, il était plus difficile de les traquer. Ils se faisaient invisibles, se réfugiaient dans les bois, le plus loin possible. Mais comment faire pour se cacher de tous les regards ? Il se trouvait toujours quelqu'un pour négocier avec l'occupant dans l'espoir d'obtenir, contre une dénonciation, un avantage.

Moi, pendant ces années, je vivais choyée, dans l'inconscience. Les dates, que signifient les dates ? Avril

1940-octobre 1943 : plus de trois ans entre mon départ de Belgique et la première nuit de Marie-Lou au camp de Mechelen. Je me demande quel mystère est le plus cruel : ne pas savoir ce qu'elle a fait, pensé, senti pendant ces trois années, ou ignorer à quel point les horreurs du camp — dont le récit hélas trop précis des rares survivants hante mes cauchemars — l'affectaient, érodaient tout espoir. Je concède que la vie auprès de Franz sans ses enfants devait lui être insupportable. Fallait-il pour autant tourner le dos à son passé de Gadji sédentaire pour suivre une vieille illusion d'amour ? Oh maman, pourquoi nous as-tu abandonnés ? Lorsque le train, dernière étape de mon retour en Belgique, est entré en gare, pourquoi n'étais-tu pas sur le quai à m'accueillir ? Il faisait froid, et vide.

Je savais que tu n'étais plus, mais je n'avais pas encore pris la mesure de ta mort, saisi le déroulement implacable des gestes qui t'avaient conduite jusqu'à la chambre à gaz. Dans le froid de la gare je pleurais ton absence. Oui, tu as été victime, victime de dénonciation, victime de la ronde infernale, honte de notre siècle. Mais pourquoi, pourquoi ne pas t'être cachée à la ferme, pourquoi ne pas avoir attendu en silence ? Les théories aryennes n'étaient pas un secret. Les Roms d'Allemagne, de Pologne, de Hongrie étaient depuis longtemps pourchassés ; malgré la persécution moins immédiate des Tsiganes de l'Ouest, il était évident que vos jours étaient comptés.

Et puis, tes frères étaient actifs dans la Résistance. Inquiets du sort des leurs, ils les enjoignaient de fuir, de protéger leurs familles. Devant les trahisons et la force brute de l'armée allemande, ils étaient impuissants.

Où se cacher alors que l'on fait partie d'une race visible, visible par la couleur de sa peau, par son choix de vêtements, par sa tradition grégaire?

Mais toi, maman, si la vie auprès de Franz t'était devenue insupportable, tu aurais pu te réfugier chez tes parents, auprès de grand-père Josse qui t'avait chérie comme sa fille, auprès de Rosa qui se mourait de cancer et d'inquiétude au sujet de ses Tsiganes poursuivis. Elle ne te conseillait sûrement pas de t'exiler dans une société, fascinante certes, mais dont tu ne savais rien. L'exotisme connaît aussi ses misères, la vie quotidienne des femmes du voyage n'était pas plus facile que celle des marchandes et des paysannes. Cet homme que tu as choisi de suivre, ce Roman, était-il si séduisant? Plus important que moi? Cet homme qui ne m'a jamais bercée, que je n'ai jamais appelé «papa», cet homme dont le sang coule dans mes veines et dont je ne sais à peu près rien sinon que, dans sa jeunesse, il n'était «pas très fiable»? Est-ce de lui que je tiens mes sautes d'humeur, mon inconstance, la difficulté que j'ai à maintenir les moments de gaieté? Et mon désir de partir, toujours partir, suivre des itinéraires capricieux, est-ce de toi ou de lui que je le tiens?

Dans les romans, des rêves font signe au héros. Il se réveille en sueurs, il a entendu la voix de sa bien-aimée qui appelait au secours, sa bien-aimée qui, au bout du monde et juste à ce moment-là — il l'apprendra plus tard —, était engloutie par la vague d'un tsunami.

Hélas! Je ne me souviens d'aucun signe. Comment

ai-je dormi cette nuit d'octobre 1943 où, après vous avoir poursuivis avec des chiens, on vous a réunis dans la grande cour du baraquement avant de vous entasser sur les paillasses de greniers sans air, isolés, sans accès aux latrines, sans soins. J'ai toujours détesté le son des sirènes. Étaient-ce tes gémissements que j'entendais, ou la plainte grinçante des violons qu'on forçait les hommes tsiganes à jouer tandis qu'on battait leurs femmes? Dans le froid de l'hiver, le 15 janvier 1944, ai-je été oppressée alors que tu haletais dans la puanteur des wagons qui roulaient sans fin, affamée, collée aux autres prisonniers, vivants et morts? Là où mon oncle Eddy, à bout de souffle et de magie, s'est éteint debout contre un corps voisin? À l'arrivée, après les avoir dépouillés de leurs montres et bijoux, on a déchargé les cadavres pour les jeter dans une fosse. C'est là qu'il s'est décomposé, le grand Eddy qui ressemblait à son père Josse, mais qui ne se sentait chez lui que parmi les Romanichels et leurs chants dont sa mère Rosa avait bercé son enfance. Le grand Eddy qui m'émerveillait par ses tours de passe-passe et terminait le doigt sur les lèvres : «Chut! Pas un mot, c'est notre secret.»

Environ vingt-trois mille prisonniers coupables d'être tsiganes sont passés par le camp d'Auschwitz-Birkenau. Le 2 août 1944, il en restait entre deux et trois mille, des femmes, des enfants, dont certains étaient nos cousins, des malades, des vieillards. Pourquoi leurs bourreaux auraient-ils compté avec précision ceux qui n'avaient pas de nom? Les hommes adultes qui n'étaient pas morts de faim et d'affaiblissement avaient été envoyés vers d'autres camps ou exécutés le 16 mai à la suite d'une rébellion : armés de pauvres bêches et de haches, vous avez tenté en vain de défier Goliath. Rebelles, vous l'avez été jusqu'au bout. Vous connaissiez le sort des Juifs qui vous avaient précédés. Quand vous avez compris que votre tour arrivait, vous n'avez pas suivi docilement les consignes. Vous avez hurlé, injurié, vous avez tenté de vous échapper, vous avez crié : « Nous voulons vivre ! »

Je connaissais ton sort lorsque, en bouquinant dans la bibliothèque de daddy, mes yeux sont tombés sur deux vers du poète gallois Dylan Thomas à son père mourant. J'ai ressenti un choc, et j'ai vu surgir ton image devant moi. Je les ai criés, ces mots, aux quatre vents, de toutes mes forces, comme si j'avais voulu m'assurer que tu les entendes :

Do not go gentle into that good night.
Rage, rage against the dying of the light.

Est-ce cette rage que tu as ressentie ? Tu n'es pas entrée doucement dans la nuit, tu as protesté contre l'obscurité qu'on t'imposait, tu n'étais pas prête à voir mourir la lumière. Tu voulais vivre. Vivre !

À mon tour, je sens la venue de la mort. Elle ne sera pas immédiate ni aussi cruelle que la tienne. Pourtant, en silence, je crie comme toi ma révolte. Tu étais jeune, si jeune ! Moi, j'ai eu la chance de connaître l'amour, de garder ma fille auprès de moi. Le moment venu, serai-je assagie ?

⁂

J'ai appris le sort de maman par bribes, chacune un aiguillon qui m'injectait son venin. D'abord la lettre, froide, qui m'apprenait sa mort et exigeait mon retour. Pourquoi? Pourquoi retourner là-bas si *elle* n'y était plus? Pourtant, à mon arrivée, par moments je ressentais... presque une exaltation à respirer l'air que nous avions respiré ensemble. Tout me rappelait les années où je partais derrière elle et, à la mesure de ma maladresse enfantine, l'aidais à cueillir les produits du jardin : le poids d'une aubergine dans la main, le goût anisé d'une feuille d'estragon, le crissement des petites laitues entre les doigts et leur verte odeur de propreté. Il manquait son rire, sa voix joyeuse qui m'expliquait comme le basilic parfumerait les tomates et la ciboulette serait délicieuse avec l'omelette : «Va m'en couper quelques branches, doucement, comme ça, bravo! Merci ma jolie!» Ces souvenirs étaient balayés par les ordres de Franz, qui m'attelait à la tâche, par la voix fluette de ma «belle-mère» qui faisait semblant de s'activer. Pauvre femme que je détestais! Je lui reprochais de n'être pas Marie-Lou, d'oser circuler dans le domaine de ma fée.

Naïve, j'ai tenté de questionner Franz. Maman ne faisait de mal à personne, comment expliquer son arrestation? Bien des prisonniers avaient été libérés... Ses réponses étaient ponctuées de dards : «Impulsive... irréfléchie... Tourné le dos à ses enfants... Unique responsable... Elle vous avait abandonnés et vous préfériez des Romanichels...»

Comment maman aurait-elle pu nous abandonner? Que voulait-il dire par «Romanichel»? Pourquoi parlait-il d'elle avec mépris? Maman s'échappait de moi. Je me sentais de plus en plus lasse, isolée. J'avais retrouvé mon frère Daniel avec plaisir. Mais Franz avait beau l'appeler son petit fermier, il était peu vaillant et ne m'était d'aucun secours. À mon arrivée, je lui avais raconté un peu mon exil au Canada, pour me rendre compte qu'il me jalousait. Daniel et moi avions été séparés trop longtemps, il ne nous restait plus grand-chose en commun. Je constatais avec tristesse qu'il faisait confiance aux explications de son père quant à l'arrestation et à la mort de maman.

Il fallait bien que mon «père» m'envoie à l'école, mais je m'y sentais perdue. Perdue dans le programme scolaire, perdue parmi mes camarades qui me regardaient d'un air méprisant ou indifférent. Mes résultats scolaires n'intéressaient personne. Pas question de vagabonder au retour, il fallait rentrer traire les vaches. Moi qui, chez les Dumouchel, rechignais à faire mes devoirs, voici que je regrettais le temps où daddy et mamichou insistaient pour que je passe au moins une demi-heure le nez dans mes cahiers, où Marion délaissait son livre en soupirant pour me donner une explication. Une fois le problème solutionné, elle haussait les épaules avec un demi-sourire en vérifiant: «Ça va?» Comme ils me manquaient! Je ne voulais pas penser à eux, à cet épisode de ma vie terminé. Ça faisait trop mal. Oh! L'horreur de ces mois interminables! A-t-il fait soleil parfois? Dans ma mémoire tout n'est que vide et grisaille.

Un après-midi, en revenant de l'école, j'ai aperçu un homme qui marchait dans ma direction; foulard rouge au cou, chapeau de feutre porté de guingois, il me rappelait mes oncles. De loin, il a crié: «Mirka»! J'ai reconnu sa voix. J'ai couru vers lui et je me suis jetée dans ses bras en pleurant. Dans les bras de

Rosario, c'était maman que je pleurais, c'était ma petite enfance, c'était mon isolement et ma détresse, c'était ma courte vie. Il n'a raconté aucune des horreurs qu'il avait subies avec les siens, mais son visage émacié en disait long. À mes questions «Tu étais avec elle? Qu'est-ce qui s'est passé? Et oncle Eddy?», il est demeuré vague. Elle avait pris froid dans l'inconfort du camp, était tombée malade. Eddy de même. Lui, il était plus robuste, on l'avait emmené dans un autre camp, il ne l'avait pas vue mourir.

Comment expliquer à une enfant que des gens lâchent leurs chiens sur leurs semblables, les torturent, les envoient à une mort atroce parce qu'ils sont différents d'eux? Pourtant, grâce à quelques nouvelles cueillies à la radio, aux manchettes du kiosque où je m'attardais, des informations me parvenaient, fascinantes et répugnantes. Des récits dénonçaient les horreurs, racontaient les lampes fabriquées de peau humaine, les douches empoisonnées, les travaux forcés, les humiliations inimaginables, parlaient de cadavres jetés dans des fosses, du vol de bijoux et de dents en or. À chaque révélation, je me refusais à croire que de telles atrocités concernaient maman... C'étaient les Juifs qui avaient subi ces cruautés. C'était révoltant, mais n'avait rien à voir avec elle. Pourtant le doute s'insinuait: était-il pensable qu'on l'ait battue, qu'elle ait souffert de la faim, qu'elle ait crié de désespoir dans la nuit? Je ne pouvais plus endurer la présence bouffie et sans larmes de mon père, de celui que je croyais encore mon père. Rosario m'a demandé si j'avais vu la famille de mon grand-père Duteil. Surpris que Franz n'ait pas trouvé le temps de m'y emmener, il a promis de leur téléphoner.

Peu de temps après, oncle Josse est venu me chercher. Mon cœur battait. Il y avait si longtemps que j'avais vu mon grand-père, mon oncle et ma tante! Si grand-maman avait été là, je me serais lovée dans sa chaleur. Franz m'avait informée de sa mort froidement, sans commentaire. Sans son rire et ses exclamations, la maison serait silencieuse. Mais dès les premiers pas, j'ai aperçu le bon visage rond de tante Lisette, son sourire affectueux, j'ai entendu grand-papa s'écrier: «Notre petite Mirka! Eh eh! Mais tu es une grande fille!», j'ai reconnu le fumet de la «soupe de mami» qui mijotait dans un grand chaudron. Je me suis cramponnée à ce qui me restait de famille comme à mon unique bouée de sauvetage. Hélas, la bouée n'était que temporaire, il me fallait rentrer chez mon père. J'y suis retournée pourtant, et chaque fois je buvais goulûment à cette source de tendresse. C'est au cours de ces visites que tante Lisette m'a raconté, non pas tout, mais une part de la vérité qui me concernait. Franz avait fait plusieurs fois allusion, sur un ton malveillant, aux antécédents tsiganes de maman et de grand-mère, allusions auxquelles je n'avais pas compris grand-chose. Lisette m'a appris ce que j'ai raconté plus haut, que maman avait été adoptée par mon grand-père, qu'elle était née d'un premier mariage de ma grand-mère Rosa alors qu'elle vivait parmi les siens. Contrairement à sa sœur et à ses frères métissés, elle était donc pure tsigane. Et, ce qui était plus délicat, elle m'a révélé que moi aussi je l'étais, et que mon père réel était Roman, reparti avec sa *cumpania* alors que maman était enceinte.

«Il ne faut pas trop en vouloir à Franz. Sans lui ta mère aurait été rejetée par les gens du village. Donner naissance en dehors du mariage, alors qu'on est fille de Tsigane! Marie-Lou était persuadée d'avoir une dette de reconnaissance envers Franz. Tant que vous avez été là, elle lui est restée loyale. Mais lorsqu'elle a pris conscience qu'il vous avait arrachés à elle, elle a été désemparée.»

Je n'écoutais plus. Merveilleuse révélation! Franz n'était pas mon père! Je n'avais rien de lui, je ne lui devais rien. Tout s'expliquait: ses colères, ses paroles méprisantes, mon exil. Je n'avais pas à me sentir coupable de le détester, je n'étais pas sa fille. Pourquoi m'avoir fait revenir en Belgique? «Pour réparer ses torts?» a suggéré charitablement tante Lisette. Plutôt pour sauver les apparences devant l'entourage. Pour me mettre à la tâche. C'était tout juste s'il me laissait aller à l'école. Ma belle-mère... mais elle n'était plus ma belle-mère! Cette paresseuse était choyée comme jamais maman ne l'avait été.

Je sautais de joie! Tout était changé! S'il n'était pas mon père, quelle autorité exerçait-il sur moi? Quelle loyauté lui devais-je? Lisette n'a rien dit, m'a prise dans ses bras. Puis elle a rajouté: «Il faut rentrer pour le moment. Nous allons voir ce que nous pouvons faire pour t'aider.» Elle essayait de m'encourager, mais elle n'avait aucun pouvoir. Officiellement, Franz était mon père. Rien n'était vraiment changé.

⁌

Un matin de décembre, on a ramené son cadavre. J'ai regardé son visage, les sourcils qui ne fronceraient plus, la bouche pâle et molle dont plus aucune parole blessante ne s'échapperait. Du sang s'était coagulé dans ses cheveux. J'entendais les cris de sa femme, les lamentations de la famille Doineau accourue je ne sais quand. J'ai perdu la notion du temps, je ne me rendais que vaguement compte de ma nouvelle situation. Jusqu'à la lecture du testament, j'ai ignoré ce qu'il adviendrait de moi et trouvais insupportable d'être encore soumise à sa tutelle. Même lorsqu'on a su les dispositions par lesquelles Franz nommait daddy tuteur, j'ai vécu des jours d'angoisse. Et si, là-bas, ils ne voulaient plus de moi ? Ils avaient eu le temps de recréer leur triangle initial, que mon retour bouleverserait de nouveau. Dans le cas d'un refus ou d'une impossibilité du côté du Canada, sa sœur Pauline deviendrait tutrice. Pourquoi pas grand-père Josse et tante Lisette ? Ou oncle Rosario ? Détestait-il à ce point la famille de maman qu'il voulait me soustraire à leur influence, exercer par delà la mort un pouvoir pervers, faire mal à Marie-Lou et aux siens à travers moi ? « Si c'est Pauline, je me tue. »

Seule la dépêche immédiate de daddy m'a libérée.

⁂

La mort de Franz et le choix de daddy comme tuteur me délivraient. À treize ans, je rentrais à Montréal et retrouvais une famille dans laquelle je me savais aimée. J'ai vécu la traversée du retour comme un conte de fées. Une tempête de neige a ralenti le train depuis Québec : mamichou et Marion avaient-elles pu se rendre à la gare ? Mais oui, elles étaient là, fidèles, je me suis jetée dans leurs bras. Je retrouvais l'hiver, notre chambre. Je me glissais dans des habitudes familières comme dans des pantoufles confortables. Mais, de même que le fond agité affleure parfois à la surface paisible et riante d'une rivière, la réalisation de ma situation émergeait à ma conscience, charriait des souvenirs que j'étais impuissante à effacer ou à faire taire : la ferme-prison où tout criait l'absence de maman, oncle Rosario qui courait vers moi, la révélation de mes origines, le soulagement d'apprendre que Franz n'était pas mon père suivi du désarroi de n'appartenir nulle part, la mort incompréhensible de maman, les paroles malveillantes de Franz à son sujet, et ce Tsigane qui m'avait donné la vie et enlevé ma mère.

Je m'enlisais dans l'univers obsédant que j'avais laissé derrière moi, avant de remonter à la surface de la réalité quotidienne, celle que je partageais avec Marion et nos parents. Devant mes absences, ils m'observaient avec sollicitude, faisaient de leur mieux pour m'arracher à mes pensées. De mon côté, je tentais de m'étourdir, en général par des actions rebelles et impulsives qui créaient des remous, comme ce pauvre tatouage que je croyais inoffensif et qui a pourtant consterné daddy. Je partais sans prévenir retrouver une bande de jeunes abonnés à l'école buissonnière, des garçons et des filles à qui mamichou reprochait de ne pas être « distingués ».

Chaque bévue me rendait consciente d'un abîme entre nous. La crise d'adolescence de Marion se manifestait par des vétilles alors que la mienne prenait sa source dans un passé chaotique qui leur avait été épargné. Parce que je les aimais, afin de ne pas ajouter à leurs inquiétudes, je taisais mon passé et la blessure que m'avaient causée le malheur et les actions de

Marie-Lou. J'avais tort, je le sais aujourd'hui. Mon silence ne faisait qu'attiser mon sentiment d'aliénation sans l'apaiser. Ils avaient fait preuve de suffisamment de patience pour mériter ma confiance. Mais, est-ce ainsi que nous sommes faits? La peur, ou la honte, m'empêchait d'avouer des malheurs dont j'avais été victime. Comment expliquer à des gens probes et généreux que ma mère avait quitté sa famille pour se jeter dans les bras d'un Gitan, que je faisais partie de ces Tsiganes qu'on tolère volontiers dans les opéras, mais qu'on évite au détour d'une rue? Chacun son monde. Il valait mieux les laisser à leurs illusions; je ferais mon chemin à ma guise.

Bien sûr, tout n'était pas aussi tranché. Entre mes gestes de mutinerie, je me laissais convaincre de continuer mes études et encourager à devenir hôtesse de l'air, je faisais des tournées dans les magasins avec Marion et mamichou, je partais en vacances chez tante Clémence et oncle Auguste. Marion, Claudine, Julie et moi nous baladions toutes quatre en compagnie de leurs amies du village et nous nous taquinions mutuellement sur ce que nous appelions prétentieusement nos conquêtes. Mais les trêves étaient fragiles. Un jour, un beau nomade à moto a croisé mon chemin. J'ai perdu la tête. J'étais persuadée de renouer avec ma vraie nature en suivant la griserie de la route. Par-delà l'océan, j'épousais le mode de vie des miens, des gens du voyage. Ce fut une escapade éphémère, aussi extravagante que les fredaines de maman, mais dont j'ai eu la chance de me tirer sans engager l'avenir. Je préfère ne pas penser à la suite de l'histoire si j'étais revenue enceinte.

Il reste que l'abandon de Craig m'a été insupportable.

Je lui en voulais de m'avoir déposée sur le pas de la porte comme un paquet encombrant. Était-ce ainsi que mon père avait largué Marie-Lou ? Ajouté à la déception de mamichou et de daddy, qu'ils ne parvenaient pas à cacher, au regret… plus qu'au regret, à la honte de mon comportement ingrat et irresponsable, ce rejet alimentait mon sentiment de différence. Il me semblait que je n'avais place nulle part, alors que je creusais moi-même le fossé qui me séparait des autres. Heureusement, dans un moment de désespoir, je me suis confiée à Marion. Son petit visage plein de sollicitude, sa patience tout au long de mon récit suivie d'une tendre surveillance, ont entravé un temps mon désir de disparaître.

❖

Te souviens-tu, Marion, de mon second départ vers la Belgique de mon enfance ? Vous faisiez semblant d'oublier ma fugue, mamichou m'inondait de conseils. Vous étiez conscients qu'il s'agissait d'un voyage de devoir et de fidélité : j'accourais tenir la main de tante Lisette qui se mourait. Grand-père avait subi une attaque fatale deux ans plus tôt. Ma tante chérie, ma consolation, ma lumière dans la grisaille, restait un lien, un lien ténu, qui m'unissait à maman. J'avais à peine vingt ans. Entre deux toux, elle a défait le nœud des derniers mystères. Je lui dois la majeure partie du récit que tu lis en ce moment. Elle a éclairé des éléments jusqu'alors esquissés : le premier mariage de Rosa avec mon grand-père Koré, ses amours avec Josse. Elle était déterminée à me révéler tout ce qu'elle avait appris par Rosario sur l'arrestation des Tsiganes, sur le sort de Marie-Lou, de Roman, d'Eddy et des enfants faits prisonniers en même temps que leurs parents.

Parfois elle s'arrêtait, fermait les yeux sur des images qui la blessaient au cœur, mais qu'elle aurait trouvé malhonnête de me cacher. Elle m'a aussi dévoilé un fait horrible que je n'aurais jamais soupçonné : le rôle qu'avait joué Franz dans l'arrestation de maman. Pourchassés par les Allemands, les Tsiganes étaient contraints de cacher femmes et enfants dans les bois, par petits groupes de cinq ou six wagons. Les hommes partaient en courtes expéditions à la recherche de victuailles ; quelques-uns, comme mon oncle Eddy, en profitaient pour contacter des fermiers amis. Le monde ignore, comme il ignore presque tout de notre peuple, que plusieurs d'entre eux ont été actifs dans la Résistance, car leur mobilité leur permettait d'agir comme messagers entre divers réseaux. Après la guerre, les survivants se sont contentés de revenir vers leurs lieux habituels et de poursuivre sans mot dire leur existence d'autrefois : les Tsiganes n'ont pas le culte du héros.

Eddy avait été intercepté en cours de mission et emmené au camp de Mechelen où il avait retrouvé son frère et sa sœur. La nuit de leur arrestation, Roman et Rosario étaient rentrés à leur campement, à l'abri des curieux. Le lendemain matin, il n'en restait que les squelettes carbonisés de leurs wagons. Seul un indic familier des lieux aurait pu débusquer leur cachette. Ce traître, c'était Franz. La délation lui valait la considération des occupants et des avantages pécuniaires, tout en le vengeant de sa femme infidèle. J'étais horrifiée !

J'avais deviné qu'il admirait les Nazis, mais au point de leur livrer son épouse ! Ce n'était pas l'unique dénonciation dont il se serait rendu coupable : il aurait aussi collaboré à l'arrestation de quelques Résistants et même accusé des rivaux en affaires. Il s'était donc fait de nombreux ennemis. Après la guerre, le fils, ou le frère d'une de ses victimes, s'est vengé. Mon beau-père n'était pas mort d'un accident, ainsi qu'un voisin complaisant l'avait déclaré. Il n'avait pas trébuché, la pierre qui l'avait frappé était au bout d'un bras. Ma belle-mère et la famille de Franz avaient tenté d'abrier la chose, puis, on ne savait comment, elle s'était ébruitée. Il y a eu enquête, mais on n'a jamais trouvé le coupable.

J'ai appris dans le même souffle sa trahison et son assassinat. À cet âge, je jubiais à la pensée d'un geste qui me libérait en même temps qu'il rétablissait la justice. Aujourd'hui, tout en étant reconnaissante de ce que je dois à son assassin, je trouve infiniment tristes la vie et la mort de Franz, un homme que malgré tout dans mon enfance j'aurais voulu aimer. Je suis désolée de l'influence qu'il exerce sur Daniel par delà la mort.

Restait un mystère. Mais là-dessus, Lisette ne pouvait m'apporter aucune lumière. Qui était Roman ? Séducteur évanescent, père indifférent, compagnon de la dernière fugue de Marie-Lou, de ses dernières heures, cet inconnu me hante toujours. Je sais seulement qu'il venait d'une autre tribu que celle de Rosa, une tribu dont les membres avaient la réputation d'être plus indisciplinés, plus insouciants que les Lowara auxquels s'étaient joints mes oncles. Ou est-ce ainsi que les Tsiganes vivent? Dans l'instant, dans la passion de l'instant, oublieux du passé, sans projets pour l'avenir? J'ai pourtant observé parmi eux un profond attachement à la famille, un esprit de solidarité, de responsabilité envers leurs proches. Responsabilité qui s'amenuisait aux frontières du campement. De l'autre côté s'étendait le monde des autres, les Gadjé qui les toisaient du haut de leurs clochers et des tours des hôtels de ville, bien assis au cœur de propriétés qui étaient aussi leur prison. Si leurs filles étaient avenantes et consentantes un beau soir, pourquoi s'en faire? Les conséquences ne concernaient pas l'amant de passage. Pourtant Marie-Lou, fille de Rosa et de Koré, était de la même filiation que lui. Avait-il conservé, au fil des ans, sous les couches apparentes d'insouciance, une affinité particulière pour la petite Tsigane du village à laquelle il avait fait un enfant?

Il est impossible pour un tiers de s'immiscer dans l'univers des amants, de saisir la part d'illusion et de perception profonde et lumineuse de l'autre qu'apporte l'amour. L'a-t-il aimée, ou cueillie? Et plus tard, dans le chaos des années noires, l'a-t-il accueillie avec passivité ou avec joie? Je ne saurai jamais comment ils se sont retrouvés. Si, comme le prétendait Franz, elle avait abandonné sa famille pour le suivre ou s'il était revenu sur la trace d'un souvenir. Ou s'ils s'étaient soumis au hasard d'une rencontre imprévue. Lorsque je m'attarde trop longtemps à ces réflexions, je finis par avoir envie de leur crier: «Et moi? MOI! Pensiez-vous à moi? Qu'est-ce que j'étais pour vous?» Pour toi, mon père, un paquet informe et encombrant? De toi, maman, je me souviens des larmes sur le quai de la gare: le train s'ébranlait, tu courais, ta blouse pendait sur ton épaule, tu as perdu une sandale et tu as continué de courir à cloche-pied jusqu'à ce que je ne voie plus rien. Combien de temps as-tu couru? Jusqu'où?

Sur un coup de tête, j'ai décidé d'explorer le mystère. Lisette venait de mourir. J'avais informé mes parents d'Amérique du décès sans préciser la date de mon retour. Je n'étais pas prête à rentrer. Il me semblait que je m'éloignais d'eux; ils n'étaient plus Marion, daddy ou mamichou, mais une entité abstraite: les Dumouchel. Les Dumouchel: une bulle sereine et complète dans laquelle une entente temporaire m'avait casée par hasard. Je me convainquais que je n'avais été pour eux qu'une source d'ennuis. Puis j'avais honte de ces pensées; je me disais qu'ils étaient peut-être minés par l'inquiétude et je me reprochais le chagrin que je leur causais. Ils m'avaient fait confiance, et comme au temps de ma fugue, je gardais le silence. J'étais déterminée à donner des nouvelles, mais ma résolution se diluait, s'effaçait derrière ma nouvelle obsession. Je me sentais submergée par les dernières révélations de Lisette et par les questions demeurées sans réponse. Au fond, j'avais été toute ma vie une Tsigane en exil: pendant sept ans dans la maison d'un traître avec qui je n'avais aucune affinité, puis évacuée en pays lointain et froid. C'était ainsi qu'on nous nommait, les enfants *évacués* d'Angleterre. Vérifie le mot dans le dictionnaire: malgré les bonnes intentions d'un organisme dont la vocation était de nous éloigner des bombardements, nous n'étions pas sans ressentir toute la force de mépris de ses synonymes: rejeter, éliminer, expulser, déféquer, vomir.

Après les funérailles de Lisette, j'ai donc décidé de renouer avec ma race en me rapprochant de ceux qui avaient accueilli maman dans son désarroi. J'ai exposé mon projet à Rosario, qui a tenté de m'en décourager. Il était difficile de passer brusquement d'un monde à l'autre. Lui, il avait fait le saut à quatorze ans, un âge malléable, et puis Eddy avait ouvert la voie. Pour ce qui était de maman, ses motivations étaient complexes... Les temps étaient difficiles, elle était désespérée, avait retrouvé un premier amour... Il n'était pas sûr qu'elle se soit sentie vraiment chez elle parmi les Tsiganes. Et moi, j'avais connu une autre vie, le confort. J'avais une famille là-bas, au Canada. Mais à vingt ans, me disais-je, bien des filles quittent leurs parents pour se marier, parfois au loin. Quelle différence ? Je voulais seulement tenter une expérience. J'avais besoin de savoir.

Rosario m'a accueillie dans sa roulotte, parmi ses jeunes enfants nés d'un second mariage après la guerre. Les aînés avaient péri à Auschwitz avec leur mère alors qu'il était éloigné en camp de travail. Ma nouvelle tante, avec ses trois bambins dont le plus vieux devait avoir quatre ans, ne semblait pas plus vieille que moi. C'est la première chose dont j'ai pris conscience : les jeunes femmes de mon âge étaient déjà mariées et mères. Seule une malheureuse épouse stérile détonnait dans le concert des mamans. Elle s'attacha à moi ; elle s'appelait Lyuba.

C'est ainsi que j'aurais vécu si... si Roman avait épousé maman et l'avait emmenée avec lui sur les routes. J'aurais joué pieds nus avec une ribambelle d'enfants, j'aurais tôt appris les stratégies de survie et serais devenue habile aux tours de passe-passe. J'aurais fait partie des bandes de jeunes qui apprenaient à chiper ici et là, rieuses, moqueuses, destinées à une brève adolescence, puisqu'il m'aurait fallu quitter maman à treize ou quatorze ans pour suivre l'homme choisi par mon père et m'installer avec lui auprès de sa famille, dans un autre campement, une autre tribu même. À vingt ans, j'aurais déjà trois ou quatre mioches à nourrir et à soigner. Car si chez les sédentaires on prévenait les grossesses prématurées par les admonitions et une stricte surveillance, chez les nomades, on préférait marier les filles dès la nubilité. Finie l'insouciance, les jeunes années se passaient à prendre soin des enfants, à cuisiner et à laver.

Dans les projets d'avenir qu'ils caressaient pour Marion et moi, mamichou et daddy mentionnaient le mariage, mais aussi une carrière, des loisirs de l'esprit et du corps, une manière de vivre, quoi, qu'on n'appelait pas encore épanouissement personnel, mais qui le préfigurait. Chez les Tsiganes, ces notions n'avaient pas cours. On vivait selon les traditions. Les rébellions s'exprimaient par des sautes d'humeur, des disputes, des entêtements, quelques fois des coups de tête, jamais par une remise en question. Un père éclairé, comme celui de ma grand-mère Rosa, était celui qui tenait compte du bien-être de sa fille dans son choix d'un époux, du moins de ce que lui jugeait être le bien-être de sa fille. Si j'avais grandi dans cet univers, peut-être que je ne me serais jamais rendue jusqu'à cet âge, j'aurais partagé le sort des miens jusqu'à l'holocauste.

Si les femmes n'avaient qu'une seule voie à suivre, les choix des hommes aussi étaient limités. Les jeunes gens étaient plus libres de s'épivarder au dehors, mais devaient s'en remettre aux aînés pour toute décision importante. Par exemple, les moments de départ et les itinéraires. Toute option individuelle était soumise au bien commun.

Pourtant, durant mon séjour, je n'ai pas eu le sentiment d'une société contrainte. Au contraire. Il régnait une bonne humeur, une franchise, que j'ai rarement observées chez les sédentaires. Était-ce le fait de savoir qu'on n'était pas tenus à un seul lieu? Il n'y avait pas de clôture entre les roulottes, ils n'auraient enduré aucune palissade autour de leur campement. Comme ils devaient souffrir derrière les barbelés! Aujourd'hui, je me demande comment ils s'adaptent lorsque les gouvernements les obligent à se sédentariser. Les crimes sociaux dont on les accuse dans leurs nouvelles réserves — négligence, vandalisme, malpropreté — sont peut-être l'expression d'une rébellion contre un mode de vie qui nie leur raison d'être et les prive de leur précieuse indépendance.

Je me souviens que les femmes surtout chantaient et riaient. Elles chantaient en préparant les repas, en berçant les enfants, lors des fêtes, ou simplement dans la douceur du soir. À vivre près d'eux, j'ai compris l'attrait qu'avait exercé sur mes deux oncles cet esprit de liberté collective. Et chez Marie-Lou, était-ce désir de la route ou désir amoureux? Allais-je suivre ses traces?

Je les trouvais séduisants, ces Tsiganes, avec leur allure décontractée, leurs yeux de feu. Ils me séduisaient plus par le silence que par la parole, par leur assurance, par la confiance qu'ils avaient en leur virilité.

Il s'appelait Grégory, celui qui a failli faire pencher la balance. Un temps, j'ai cru l'aimer, mais ne me sentais pas prête à avoir un enfant. Je n'avais plus quinze ans, j'avais été initiée par un Américain dégourdi et n'étais plus ni vierge ni naïve. Mon Tsigane s'est senti effarouché par une femme qui parlait de prendre des précautions. Dans son esprit, c'était porter atteinte à sa virilité que de faire l'amour autrement qu'en conquérant. Ma peur de tomber enceinte a ralenti mon ardeur. J'ai pris conscience que cet écart entre nous dans le domaine le plus intime reflétait l'abîme qui nous séparait.

Notre aventure était connue : rien ne reste secret dans la promiscuité du campement. Elle a été tolérée tant que l'on a cru qu'elle finirait par une noce qui m'intégrerait dans la société des gens du voyage. Et encore... Mon oncle était respecté, on voulait bien m'accueillir selon la tradition d'hospitalité, mais on se méfiait à juste titre de mon passé de Gadji. Malgré mes efforts pour l'apprendre, je ne parlais pas romani et devais compter sur leur connaissance du français. Abattue par un nouvel échec, j'ai dû prendre une décision difficile. Grégory a vite compris ; je n'ai jamais su s'il avait été attristé par mon départ.

Rosario est venu me conduire chez les membres sédentaires de notre famille, dont seuls demeuraient l'oncle Josse et ses enfants. Je suis rentrée au Canada soulagée, mais un vide se creusait peu à peu au-dedans de moi, un vide que je ne m'expliquais pas. Tout autour de moi semblait familier, et étranger. J'avais traversé une contrée d'incertitude, je n'arrivais pas à m'intégrer à la normalité. J'avançais à côté de la réalité. J'appartenais un temps à ma famille canadienne, puis mes pas étaient attirés par les chemins de traverse du passé. Je me rappelais avec tendresse mon séjour chez les Tsiganes, je me rappelais leur pauvreté et leur courage, leur bonne humeur, leur hospitalité. Je me révoltais contre la méconnaissance de leur culture et les exactions qu'ils subissaient. Comme le monde entier, j'avais été indignée d'apprendre le sort des Juifs; je trouvais injuste, indécent, que, par ignorance, on ferme les yeux sur les autres victimes.

Le peuple juif était lettré, puissant, il venait d'obtenir un pays, il possédait tous les atouts pour s'assurer que ses malheurs ne tombent pas dans l'oubli. Chez les Tsiganes qui n'avaient pas de tradition écrite, rares étaient ceux qui maniaient la plume, plus rares encore ceux qui avaient accès aux réseaux d'information. Après la guerre, ils avaient réintégré leur rang de paria. J'étais persuadée que, avec le temps, ils trouveraient des porte-parole. Il me semblait naïvement que je pourrais devenir une de ces voix. Je me jurais de faire connaître la vérité, de soutenir leur cause. C'était sans compter avec les distractions, mon indolence, mon insatisfaction constante, ma difficulté à me structurer, à me discipliner. J'étais tentée de m'en ouvrir à Marion et aux parents; une pudeur m'arrêtait. Je craignais leur incompréhension. Peut-être auraient-ils été déroutés par l'énormité de mon ambition. Une fois exprimé, mon projet aurait une densité qui m'effrayait. Je le remettais à plus tard et je m'accablais de reproches en silence.

Seul mon métier d'hôtesse de l'air m'apportait quelque répit. Lorsque, au moment du décollage, je suivais

la consigne qui nous demandait de nous asseoir, eni-
vrée par la sensation d'être rivée à mon siège, le corps
collé au dossier, je devenais une avec l'oiseau métalli-
que qui s'élevait de terre. Je revivais alors la joie qui
s'emparait de mes aïeux, de mes cousins, au moment
où s'ébranlait le wagon en partance pour le voyage.
Qu'importait que la route soit terrestre ou aérienne!
Elle menait ailleurs, loin, là où tout était possible. Ces
moments ne suffisaient pas à chasser mes idées noires.
Même avec mes camarades, malgré que nous formions
une nouvelle tribu du voyage, mes amitiés étaient
superficielles.

Je t'avouerai un jour, Clara, ce moment de folie où
il m'a semblé impossible de jamais trouver ma place en
ce monde. Et à toi, ma fidèle Marion, qui as été avec
Robert l'unique témoin de ma tentative de fuite au
fond des eaux, je demande pardon. Mon geste n'était
ni négation de ton affection ni ingratitude envers
le dévouement de nos parents. Mais je comprends
qu'il t'ait semblé tel. Il est difficile d'accepter qu'un
suicide ne soit pas une forme de reproche. Peut-être
inconsciemment l'était-ce. L'abîme qui me séparait du
monde était si profond qu'aucun amour, me semblait-
il, n'arriverait à le combler. Sois rassurée, Marion.
Malgré mon accueil rébarbatif à ton arrivée, ton visage
inquiet au-dessus du mien m'apportait un baume que
j'ai d'abord refusé d'agréer, mais qui a pénétré peu à
peu jusqu'à la moelle. Sous les rejets et les échecs, le
souvenir des moments paisibles de notre enfance, de
nos complicités et de nos confidences, a pris le dessus.
Jamais par la suite je n'ai été tentée.

Il est sûr que l'amour d'Alex, malgré son trop court

passage, m'a ancrée dans la vie. Avec lui je vivais pleinement. Et ta venue, Clara, m'a réconciliée pour de bon avec mon destin. Comme les Doges de Venise avec la mer, à chacun de tes anniversaires je célébrais mes noces avec la vie.

⁜

J'arrive près du terme de mon récit. Ma si blonde et lumineuse Clara, j'ai voulu te dévoiler une part de ton héritage. Une part seulement. Dans un village d'Europe s'écoulent les derniers espoirs de ton grand-père tchèque, un vieil homme qui a accepté de voir partir ses fils parce qu'ils ne supportaient plus un régime érigé sur le mensonge. Si un jour tu fais à rebours la route qu'a suivie ton père autrefois, tu traverseras une forêt encore imprégnée des terreurs et des audaces de ces fous qui partaient munis seulement d'un compas qui pointait vers l'Ouest, vers l'Autriche, vers la Vienne de Freud et de Stephan Zweig, vers la liberté. L'aïeul solitaire vivra-t-il assez longtemps pour accueillir les revenants?

Les frontières s'assouplissent, ne tarde pas trop je t'en prie. Tu as des tantes là-bas; en compagnie de ta fille, va renouer avec le passé de ton père que tu as si peu connu. Vous reviendrez auprès de Jean-Noël, dont la lignée en ce pays remonte à trois cents ans. Liane sera une Québécoise ancrée dans son temps, légataire de traditions multiples. C'est ainsi que se dessine le monde. Dans notre village global se côtoient ethnies, langues, cultures diverses. Nous ne pouvons plus demeurer frileusement à l'intérieur de nos territoires. Déjà on circule librement d'un pays à l'autre dans une grande partie de l'Europe. Le transport aérien met le voyage à la portée de tous. Chacun devient un peu tsigane. J'ai trop vécu les difficultés de l'exil pour fermer les yeux sur ses tourments. Mais j'ai connu le baume de la découverte et de l'acceptation mutuelle.

Je te recommande le voyage en Europe de l'Est. Pour ce qui serait d'un pèlerinage en Belgique, je ne sais que te conseiller. Que reste-t-il de mes premières années, sinon la douceur d'un ciel gris et bleu, l'or des champs, le vent du plat pays? Les enfants de ton oncle Josse, que j'ai peu fréquentés, ceux de Rosario, qui sillonnent les routes en caravanes ou qui, devant les obstacles que dressent les États, se résignent à se sédentariser? Comment les joindre? Il reste là-bas ton oncle Daniel. Ta blondeur t'ouvrirait sa porte, mais j'ai bien peur que son accueil se refroidirait quand il apprendrait de qui tu es la fille.

Daniel, mon frère. J'essaie de comprendre son parcours et un aboutissement qui me désole. J'ai longtemps voulu croire que ma bien-aimée maman, incapable d'injustice, aimait également ses deux enfants. Mais en mon for intérieur, est-ce que je ne chérissais pas l'impression d'être sa préférée? Je l'ignorais encore, mais je sentais qu'elle se prolongeait en moi, la petite Tsigane qui lui rappelait sa passion. Daniel était le fruit de ses compromissions, d'un mariage raisonnable. À trois ans, en était-il conscient? Lorsque son père l'a envoyé vivre chez sa grand-mère Doineau, aurait-il noté que le désespoir de notre mère était moins grand, les larmes moins généreuses qu'à mon départ pour l'Angleterre? Les enfants ont des antennes qui saisissent les nuances de chaque geste, de chaque intonation. Et là-bas, dans la famille de Franz, à quelle démolition systématique de maman a-t-il été exposé? Lors de mon retour en Belgique après la guerre, lorsque j'ai tenté d'en savoir plus long sur la mort de maman, il ne partageait pas ma curiosité. On aurait dit que ça lui était égal. Pis, il semblait ajouter foi à la version de son père. Sans dévoiler que je l'avais vu, j'ai mentionné le nom de notre oncle Rosario. Il a fait la moue: «Rosario... Je ne veux pas fréquenter ces gens-là, ils sont pouilleux... Ils ont entraîné maman... Elle n'aurait pas dû...» Puis, comme s'il se ravisait: «C'est leur faute si elle est partie...»

Peut-être qu'il avait besoin de se raccrocher à cette explication par laquelle sa mère n'était pas coupable d'avoir quitté Franz. Il blâmait les autres, les «Romanichels», les gueux dont les maléfices avaient entraîné Marie-Lou loin des siens. Il préférait nier le sang tsigane qui coulait dans ses veines et se créer une virginité aryenne. Marie-Lou était un accident dans son passé, une sirène qui avait séduit un homme de bien, une faible femme qui s'était laissé abuser par une bande de Bohémiens. Bien sûr, c'est à rebours que j'ai cherché à comprendre. À douze, treize ans, j'observais seulement qu'il était troublé, difficile à cerner; entre de rares élans d'affection, il promenait une morosité au-delà de son âge. La mort de son père a dû être un choc. Lorsque daddy est venu me chercher pour me ramener au Canada, Daniel semblait inconscient de ce qui se passait. Un soir, il m'a étreinte longtemps en pleurant; incapable de faire cesser ses sanglots, il me serrait sans rien dire.

Je trouvais cette nouvelle séparation déchirante,

déchirante et révoltante. J'en voulais à la vie, à ma vie, qui s'amusait à m'arracher constamment à mes affections. Je me reprochais de l'abandonner à mon tour, mais je n'avais pas la liberté de rester auprès de lui. Et si on m'avait accordé cette liberté, en aurais-je eu le courage? Une fois rentrée au Canada, je ne trouvais rien à lui dire et lui écrivais peu. Il me répondait plus rarement encore. Seuls l'enfance et son souvenir nous avaient rapprochés. Il n'en restait que poussière.

Pauvre enfant! Comment a-t-il réagi en apprenant que son père avait été assassiné, probablement par un ancien sympathisant de la Résistance? Que les responsables de l'enquête, hostiles au passé pro-nazi de Franz, ont peut-être déployé peu de zèle dans la recherche du coupable? Le crime impuni a marqué Daniel. Lui qui avait ajouté foi aux dires de son père, qui avait entendu en famille un discours exaltant l'idéal aryen de l'occupant, qui à neuf ans méprisait ses antécédents tsiganes, avait été à bonne école fasciste. Bien sûr, ses sympathies ne se sont pas manifestées sur-le-champ. Après la déroute des Allemands et les révélations des horreurs perpétrées par les Nazis, il n'était pas bon d'afficher certaines opinions. J'ai soupçonné ses affinités lorsque je l'ai rencontré aux funérailles de tante Lisette. Il m'a offert alors un salmigondis de récriminations contre la menace bolchevique et la faiblesse des gouvernements, d'allusions aux Juifs — qui tentaient à nouveau leur conquête du monde en infiltrant les partis gauchistes — et aux Tsiganes — qui avaient repris leurs activités antisociales.

Une quinzaine d'années plus tard, au hasard d'une escale entre deux envolées, j'ai pris la mesure de son engagement. En feuilletant dans une aérogare une revue dont j'ignorais tout, j'ai remarqué son nom parmi les auteurs. J'ai vite reconnu la couleur du magazine. Dans son article, Daniel ne se gênait pas pour attaquer la notion de «pseudo-égalité» des races et le glissement de notre société vers la décadence.

Je suppose que, aujourd'hui encore, il continue sa croisade. J'en suis peinée. Comme d'un rendez-vous manqué. J'aurais aimé avoir l'occasion… de lui parler. En dehors de Rosario et Josse (mais vivent-ils encore?), Daniel est le seul être qui se souvient de maman. Ou l'a-t-il effacée de sa mémoire? Quand il est seul, la nuit, et qu'il tarde à dormir, lui arrive-t-il d'avoir la nostalgie du temps où nous riions tous trois, et qu'elle chantait?

Je suis retournée en Belgique une fois depuis le séjour malheureux de mes vingt ans. Uniquement pour le plaisir, pour contempler la mer sur la promenade d'Ostende, pour me promener dans Bruges sous une pluie triste, mais combien émouvante. C'est un beau pays que celui où je suis née, j'aurais voulu avoir plus de raisons de l'aimer.

terminé le 18 mars 1987

8

Mes très chers,

Depuis dix jours, je songe constamment à vous, à maman et à vous qui lui étiez si proches, et à l'insaisissable image de ma grand-mère Marie-Lou égarée dans les ténèbres de son siècle. Je sais que si la santé d'oncle Robert vous avait permis de me suivre, vous auriez été parmi nous à Auschwitz. Vous y étiez par vos pensées, vos vœux, votre amour. Par vos prières ? Quel nom donner à l'élan qui nous porte tout entier à désirer le bien-être d'autrui ? À souhaiter son bonheur, au moins une consolation, par delà la mort ? Dans ce sens, j'ai prié, sans Église et sans savoir à qui s'adressaient mes paroles silencieuses. J'ai chéri mes aïeux qui ont péri en ce lieu, j'ai marché dans leurs pas, les yeux fermés et les épaules lourdes. J'ai étreint leurs ombres, celles de Marie-Lou et de Roman, le grand-père dont je sais si peu de choses, celles du grand Eddy écroulé dans le train et de Rosario, son frère isolé au loin alors que mouraient les siens, son épouse, ses enfants et ceux d'Eddy. J'ai étreint les ombres de tous les Tsiganes poussés dans la nuit en criant leur rage. C'était un 2 août, il y a soixante-deux ans. J'ai prié qu'ils reposent en paix et que leur sacrifice ne soit pas ignoré.

J'ai étreint des souvenirs, et des espoirs. Parmi les quelque deux cents Roms de Pologne et d'ailleurs qui assistaient à la cérémonie d'anniversaire, plusieurs militent afin que soit enfin connu et reconnu le martyre des Tsiganes. Il y a plus d'un an que les Juifs ont inauguré leur mémorial de l'Holocauste à Berlin. À quand le nôtre? Quelques rescapés du camp se sont exprimés avec véhémence: « C'est un scandale, a dit l'une d'eux, le gouvernement fédéral d'Allemagne trouve toujours de nouveaux prétextes pour retarder la construction du monument. J'ai 75 ans et je voudrais bien participer à l'inauguration. »

Pour être honnête, le retard n'est pas causé nécessairement par la mauvaise volonté de l'Allemagne ou des Juifs. Quoique parmi ceux-ci, certains ont exprimé des réticences difficiles à justifier. Tiennent-ils à leur martyre sans partage? Y aurait-il une hiérarchisation des victimes? Soyons justes, ce n'est pas l'opinion de la majorité. Un architecte israélien a été pressenti pour créer notre mémorial.

Ce qui en retarde la construction, figurez-vous, c'est une controverse parmi les victimes. Le Conseil central des Roms refuse le terme « tsigane », qu'il trouve injurieux, sous prétexte que c'est ainsi que les Nazis les désignaient dans leurs documents sur la solution finale. Par ailleurs, pour l'Alliance des Sinti, il est inconcevable de ne pas l'employer puisqu'il définit leur identité. Querelle de clochers qui me paraît ridicule, mais qui suis-je pour donner mon avis? Enfin, au moins depuis mai le projet existe, l'architecte est nommé, il se trouvera bien une solution qui rassemblera tous les... Roms? Tsiganes?

Le jour où le mémorial s'élèvera enfin, j'irai à Berlin. Le triomphe sera doux-amer, mais ce sera un triomphe. Alors qu'à Auschwitz-Birkenau ne règnent que la tristesse et un sentiment d'irréalité. Il y a six jours, je parcourais l'immense enceinte. Je me suis retrouvée devant un étang caché par une rangée d'arbres : le soleil pâle à travers les feuilles donnait à la vision un aspect presque bucolique. Les longs édifices de brique rouge ressemblent à des manufactures quelconques jusqu'à ce qu'on entre et qu'on aperçoive les rangées de lits où l'on dormait à quatre, où s'entassaient des milliers de prisonniers. Tout est maintenant silencieux, et propre. J'ai l'impression de faire un pèlerinage surréaliste. Tout ce qui m'entoure n'existe que par le passé. Le décor est une coquille dont la raison d'être est d'entretenir la mémoire. Il me faut faire un effort de volonté, d'imagination, pour le meubler. Pour entendre les cris, voir s'étaler la saleté et courir la vermine.

Malgré l'impression de vide, un moment est venu où j'ai senti le souffle des victimes, de toutes les victimes : les Tsiganes, les Juifs en nombre inimaginable, les Polonais résistants, les homosexuels. J'ai entendu leurs voix, celles des enfants et des vieillards, des hommes autrefois solides qui n'étaient plus que des loques, des femmes au bout de leur route, des timides et des insolents, des gentils et des égoïstes, des cupides et des généreux. Devant l'horreur, les traits de caractère devenaient dérisoires. Les jours suivant ma visite, le monde dans lequel je circulais me semblait aussi irréel, intangible que le silence du camp. J'entrais dans un endroit qui, dans un autre temps, aurait piqué ma curiosité, je me demandais ce que je faisais là. Je ne saurais vous décrire Katowice, d'où j'avais pris l'autocar pour Auschwitz, ni le banal Novotel où je m'étais arrêtée.

Heureusement, la nécessité d'agir m'a secouée. J'ai contacté des représentants d'Europe de l'Est, notamment de la Roumanie et de la Bulgarie où la situation de la population tsigane est si précaire, voire désespérée, que des gens émigrent clandestinement vers l'Ouest dans l'espoir d'une vie meilleure. À Bruxelles, je suis bien placée pour connaître les désillusions qui les attendent.

Nous avons esquissé des projets de collaboration : de leur côté, pour tenter de régler le plus de problèmes sur place, là où vivent les Tsiganes, et, en cas d'échec, diriger ceux qui préfèrent partir vers des centres d'accueil, y inclus le nôtre.

Je suis rentrée à Bruxelles il y a trois jours, et déjà mes beaux projets de collaboration se dressent dans toute leur difficulté. Mais notre travail en est un de patience. J'en ai fait part à mes collègues et repris la tâche quotidienne. Hier soir, j'ai assisté à une de ces ennuyeuses soirées mondaines auxquelles tient tant Jean-Noël, soirées qu'il considère indispensables en raison des contacts qu'on peut y établir. J'ai peu en commun avec ces fonctionnaires qui président de loin à nos destinées économiques. Seul me motive l'espoir de parler quelques minutes à un des rares politiciens intéressés au sort des moins nantis. Hier, je n'en ai reconnu aucun.

Dans ton dernier courriel, tante Marion, tu me demandais de t'éclairer sur mes activités à Bruxelles. Il est vrai que jusqu'ici, j'ai surtout parsemé mes messages de courtes allusions à ce que je fais et qu'il doit être difficile pour oncle Robert et toi de comprendre mon existence quotidienne. Vous serez surpris peut-être si je vous avoue que l'expérience vécue à Auschwitz-Birkenau m'a éclairée et aidée à situer mes actions parfois éparses dans une… démarche… — n'ayons pas peur des grands mots —, dans une vocation qui, tout en cristallisant mes aspirations profondes, se fonde sur un passé qui remonte à plus loin que moi.

L'an dernier, lorsque Jean-Noël a obtenu un poste de consultant en économie internationale au Conseil de l'Europe, il était au comble du bonheur! Le couronnement de sa carrière! Je ne vous apprends rien, vous avez été témoins de sa jubilation. Vous vous souvenez aussi de mes hésitations et de votre encouragement à le suivre. Liane poursuivait ses études en géographie, parlait stage en Chine, projet de l'UNICEF, bref était à l'âge où les rêves se bousculent et nous emportent loin de papa-maman.

«Divorce et refais ta vie, ou bien pars avec lui à Bruxelles et profite de l'expérience.» Là, tante Marion, tu m'as ébranlée. J'ai dû faire face à mes frustrations et à mes velléités sans suite. J'avais, par intermittence, songé à quitter mon mari et ne l'avais pas fait afin de protéger Liane des tourments et incertitudes d'un divorce. Ou n'était-ce qu'un prétexte à mon indécision? Qu'importe. Le bien-être de Liane ne réclamait plus ma fidélité. Et le principal reproche que j'adressais à Jean-Noël, celui de ses fréquentes absences, ne tenait plus devant la perspective d'un séjour stable à Bruxelles. Tu avais raison, tante Marion, plus d'esquive possible. Le temps de la dérobade était passé.

«Donnons-nous une chance», me suis-je dit. Jean-Noël a-t-il soupçonné mes hésitations? Je ne sais pas, mais il semblait heureux que je le suive. Conscient que je n'ai pas le style de la parfaite épouse de diplomate, il m'a encouragée à chercher un travail dans lequel je pourrais mettre à profit mes connaissances linguistiques, en particulier des langues slaves, ou mon expérience de traductrice. Mais le plaisir que j'avais éprouvé au début de ma carrière à rendre un texte le plus fidèlement et le plus élégamment possible en français, ce plaisir s'était érodé. J'en avais assez d'exprimer les idées des autres.

Les premiers mois, je les ai consacrés à nous installer dans un appartement agréable à distance de métro du centre-ville, à planifier des excursions dans les environs. Les buts de promenades ne manquent pas en Europe! Ma relation avec mon mari était calme, sans griserie, mais sans orage. Au cours de nos explorations, je retrouvais le Jean-Noël excellent compagnon de voyage, curieux, disert, prêt à partager ses enthousiasmes.

Je ne regrettais nullement ma décision. Qu'aurais-je fait à Montréal, seule dans la grande maison? Mais j'avais l'impression de vivre en suspens, dans une certaine incomplétude. J'avais ressenti ce manque à la mort de maman, après avoir lu ses confidences. J'avais le sentiment que son manuscrit renfermait un message qui m'échappait, mais que, une fois découverte la clé de son contenu, il me révélerait un trésor.

Peu à peu, lors des courses en métro que je faisais

presque quotidiennement, j'ai commencé à remarquer les mendiants. Leur nombre m'a sauté aux yeux, puis leur âge, enfin leur origine. Il n'y pas que des Roms, car des laissés-pour-compte d'Europe et d'Afrique se rejoignent là, mais les Roms sont nombreux. Le choc s'est produit le jour où un gamin de huit ou neuf ans m'a approchée en faisant des pitreries : à la suite d'une pirouette, il a tendu la main avec un sourire à la fois insolent et charmeur. Je lui ai glissé un euro et m'apprêtais à continuer mon chemin. Moquez-vous, mais j'ai du mal à ne pas croire au destin. Par quel hasard ai-je tourné la tête ? Le sourire de mon petit clown s'était mué en moue. Les épaules affaissées, il s'est dirigé vers un adulte qui le surveillait à distance et il lui a tendu l'argent qu'il venait de me soutirer. Sur un signe de tête de l'homme, il s'est hâté de rejoindre son poste et de recommencer son numéro.

Sur le coup je n'ai pas osé m'attarder ni parler au gamin. Je craignais cet homme que je soupçonnais sans indulgence. Je n'avais pas peur pour moi, contre qui il ne pouvait rien, mais pour l'enfant qui risquait de passer un bien mauvais quart d'heure. Son cerbère aurait exigé d'entendre le contenu de mes paroles. Je sais maintenant que les « protecteurs » se méfient des bonnes âmes qui s'apitoient sur le sort de leurs captifs.

Le lendemain, mine de rien, j'ai observé le même manège. L'aventure m'avait dessillé les yeux. J'ai pris conscience qu'elle se répétait à chaque station, dans les wagons où se produisaient de jeunes accordéonistes minables, sur les quais où mendiaient de très jeunes mères en berçant un bébé silencieux (que leur donnait-on pour les empêcher de pleurer?), à la tombée du jour alors que se postaient des prostituées qui n'avaient pas quinze ans. Ces enfants me lançaient un appel muet. Leurs regards sans espoir, leurs sourires factices me tourmentaient. Impuissante et désespérée, pendant quelques jours je n'ai pris le métro que pour m'imprégner de leur malheur. Notre monde est-il si cruel?

Dois-je préciser qu'à partir de cet instant, c'en a été fini de la décoration de notre appartement? J'ai parlé à Jean-Noël de mes observations. Au début, il n'a pas accordé une grande attention à ce qu'il prenait pour une de mes indignations habituelles. Devant mon insistance, il s'est informé. À quoi lui servirait d'œuvrer au cœur de l'Europe s'il ne pouvait me diriger vers un organisme approprié, engagé dans l'appui à ces démunis? J'étais déterminée à agir.

Des renseignements de diverses sources m'ont menée jusqu'à Child Focus. Cette fondation, en Belgique comme à l'étranger, centralise des informations qui permettent de retrouver des enfants disparus et lutte aussi contre l'exploitation sexuelle des mineurs. J'ai commencé à travailler comme bénévole, en affichant des photos d'enfants disparus et, ce qui me tenait plus à cœur, en effectuant des recherches plus discrètes auprès des chauffeurs de taxi, propriétaires de bar, employés de magasin. Puis je suis passée à la *hotline* de la centrale qui reçoit les avis de disparition. Mais je voulais plus. C'étaient les enfants du métro qui me préoccupaient. Qui avait signalé leur disparition? Qui les exploitait? Dans certains cas, un parent peut-être. Ces temps-ci, j'enseigne quelques heures dans un centre d'accueil où nous tentons de diriger les jeunes vers l'apprentissage d'un métier afin qu'ils puissent devenir indépendants. Il s'agit surtout de prévenir les fugues, certains fugueurs étant cueillis par des exploiteurs et siphonnés vers d'autres villes, d'autres métros où, là encore, ils font la manche ou le trottoir pour remplir les poches d'un souteneur ou d'un mafioso lointain. Peut-être la prévention est-elle la solution la plus raisonnable. Je cherche encore.

Je commence à peine à me retrouver dans cette jungle. Les besoins sont immenses et criants, les victimes diverses : des enfants vendus par leurs parents, de jeunes débrouillards clandestins qui ont fui l'Afrique ou l'Europe de l'Est en quête de l'Eldorado, des bébés arrachés à leur mère. Et dire qu'il existe un mythe voulant que les Tsiganes soient des voleurs d'enfants ! Hélas, c'est bien l'inverse qui se produit : les bébés de jeunes mères Roms qu'on exploite «meurent» en nombre louche. En réalité, ils leurs sont enlevés à la naissance pour être envoyés à une agence d'adoption clandestine.

Le mal court. Où me tourner ? J'en suis encore aux tâtonnements. Une enquête récente du *Bulletin*, journal anglais de Bruxelles, révélait le sort d'enfants originaires de Slovaquie et de Bulgarie septentrionale emmenés ici (comment ? par qui ?), devenus vendeurs de quatre-saisons, mendiants ou pickpockets au profit de… la piste se perd. Plus leur mine est pitoyable, plus leurs doigts sont fins, plus ils ont de chance d'être choisis. Vous comprenez pourquoi, en Pologne, je tenais à rencontrer des Roms qui travaillent auprès de groupes défavorisés. Il est important de conjuguer nos efforts.

J'ai fait mienne cette cause. Dans un sens, j'ai le sentiment de poursuivre le rêve inachevé de maman. Elle se reprochait de ne pas avoir proclamé à la face du monde le malheur des Tsiganes. Aujourd'hui, grâce à l'éducation à laquelle ils ont accès en plus grand nombre, grâce aussi à Internet, ils ont trouvé leurs hérauts. Ma voix n'ajouterait rien à la leur. Leur martyre a fini par être connu. Mais ils sont toujours les parias de l'Europe, la proie de réseaux criminels. Ils sont quelquefois entraînés par les leurs — le mal n'est pas propre aux Gadjé — et utilisés par eux.

Ils ne sont pas les seules victimes. À eux se joignent d'autres délaissés, réfugiés de partout au monde. Je ne discrimine pas. Chaque fois que je convaincs un enfant de fermer l'oreille aux sirènes qui tentent de l'appâter, que je dirige vers les autorités un soi-disant parent dont je me méfie, que l'on retrouve une adolescente disparue grâce à mes démarches discrètes, c'est une victoire. Chaque enfant gagné, qu'il soit de Somalie, d'Albanie ou de Hongrie, me donne une raison de vivre. Si c'est un petit Rom, une jeune Tsigane, j'éprouve un surplus de joie. Tu peux reposer en paix, maman. Nous sommes quelques-uns à réaliser ton rêve, je n'abandonne pas les nôtres en détresse.

Voilà ce qui remplit mes jours. Je vous tiendrai au courant à mesure que je progresserai dans la recherche de solutions. Jean-Noël, d'abord sceptique, commence à écouter mes récits. Je le cuisine peu à peu. Grâce à lui, j'espère entrer en contact avec des membres du Conseil qui ont un certain poids politique, du moins un poids plus substantiel que celui des bonnes volontés. Pourquoi ne pas l'inviter à faire un peu de *lobbying* pour la bonne cause? Il n'est pas encore mûr, mais je persiste.

Mes chéris, malgré que je côtoie tant de malheurs, je demeure confiante, et je suis heureuse de me trouver à Bruxelles, carrefour de trafics mais aussi d'espoirs. En venant ici avec Jean-Noël, j'ai pris la bonne décision. Seule me manque la présence de ceux que j'ai laissés derrière. J'attends avec impatience la venue de Liane la semaine prochaine. Je lis vos messages et ceux de Sophie avec délice, pardonnez-moi de ne pas répondre aussi fidèlement et longuement que je le souhaiterais. Vous comprenez que mes journées sont devenues très courtes. Il me manque de vous serrer dans mes bras, d'observer sur vos visages aimés les signes de fatigue ou de contentement. Le dernier bulletin de santé d'oncle Robert est favorable, encourageons-nous. Je ne vous suggère pas l'hiver belge et son humidité, mais dès avril le plat pays resplendit doucement. Nous serons ravis de vous recevoir chez nous. Je vous montrerai le métro et ses enfants qui réclament mon énergie, mais rassurez-vous, nous prendrons le temps de marcher dans les vieilles rues et de contempler la mer.

Je vous embrasse,
Clara

Décembre 2008 : Naples, Floride

Ce soir, souper intime. La dinde qui dégèle dans le frigo et la sauce de canneberges, Marion les garde pour le 1er janvier. Le frère de Robert descendra de Fort Myers, et les exilés au soleil feront semblant de fêter un vrai jour de l'An. C'est bien, se dit Marion, de revenir aux vieilles traditions. Elle se rappelle les Noëls tranquilles chez Granny, le *plum-pudding* et les verres de porto dont elle sirotait une petite gorgée quand Granny avait le dos tourné. Mais la grande affaire, c'était le jour de l'An chez Mémére, la dinde, les tourtières, les gâteaux et les tartes aux pommes, au raisin, au sucre, les oranges et les bols de *Jell-o*, le *ginger ale* et le petit vin juif pas cher et sucré. La visite de la campagne était là depuis trois jours, les femmes s'affairaient dans la cuisine, les enfants couraient à travers la maison en jouant à une éternelle guerre entre… peu importe, puisque l'instant d'après elles se prenaient par le cou en chantant une romance à laquelle elles ne comprenaient pas grand-chose : *Vous qui passez sans me voir… Le plus beau de tous les tangos du monde…*

C'était avant Mirka. Mémére était morte le

printemps précédant sa venue et, dans l'esprit de Marion, c'était comme s'il y avait eu un lien entre la présence de Mirka et la fin des jours de l'An. On célébrait la nouvelle année, bien sûr, maman avait repris le flambeau, mais ce n'était plus pareil. Marion sourit et se moque d'elle-même. «Je suis semblable à toutes les vieilles hirondelles qui nous entourent, réfugiées loin du froid et nostalgiques. On fait pour le mieux au temps des Fêtes, mais on se rappelle les Noëls d'antan, les enfants, la grande table, les cadeaux et, à mesure qu'on avance en âge, on recule encore, les plaisirs de l'enfance s'auréolent de féérie.»

Dernièrement, ses souvenirs la ramènent loin en arrière, avant même que le taurillon ne vienne percer sa coquille de verre. Elle sait comme cette vision est trompeuse. Ses premières années avaient-elles été si paisibles? N'avait-elle pas connu des nuits d'angoisse enfantine, la peur de l'inconnu, de l'erreur, les dépits, les colères, les insécurités. Oubli! Oh bienheureux oubli! Les éclats qui avaient suivi l'arrivée de Mirka, les conflits, les déceptions, elle les revoit avec indulgence.

«Puissiez-vous vivre à une époque intéressante!», aurait proféré quelque vieux sage chinois en jetant un mauvais sort. Avait-il raison? Est-ce une malédiction que de vivre en des temps tumultueux? Marion n'est pas d'accord, car si elle conserve une grande affection pour sa petite enfance sage entre papa-maman, sans histoires (apparentes!), elle sait, d'une certitude absolue, que les années auprès de Mirka, malgré les orages, lui avaient offert un supplément de vie, d'expériences à jamais imprimées dans son être.

Trêve de retours en arrière! L'avion de Clara atterrira bientôt, Sophie l'attend à l'aéroport. Robert est allé acheter le vin. Il faut bouger, peler les pommes de terre, mettre la table, réchauffer le bœuf en daube. Est-il aussi réussi que celui de Clara? En ce domaine, la disciple a dépassé sa tante. Mais Marion n'a pu résister, elle a préparé pour sa nièce un de leurs plats préférés, espérant qu'il soit à la hauteur. Le bœuf a déjà l'approbation de Robert et de Sophie. Clara ne doit plus avoir le temps de cuisiner. Lorsqu'ils sont allés la voir l'an dernier, elle comptait sur les restaurants et sur les traiteurs. Il est vrai qu'en Belgique, il est facile de trouver à bien manger.

Quel beau voyage ils avaient fait! Certes, ils en avaient connu de plus variés, de plus exotiques, de plus excitants. Mais ces dernières années, malgré leur curiosité indéfectible pour les équipées de Sophie dans les steppes de Mongolie et autres Saharas, ils avaient peu voyagé, non seulement en raison de problèmes de santé et des limites de leur budget, mais par une sorte de glissement de leur intérêt, un décalage de leurs goûts vers des plaisirs plus paisibles. Le séjour chez Clara faisait exception, peut-être parce qu'il prolongeait la douceur de vivre qu'ils recherchaient aujourd'hui. Chez elle, «tout n'était qu'ordre et beauté», imprégné de la magie que sa nièce imprime à ce qui l'entoure.

Elle les avait emmenés dans un centre d'accueil, les avait présentés à une politicienne de gauche et à une ribambelle d'immigrants illégaux qu'elle dirigeait à travers les arcanes de la bureaucratie, les avait trimballés dans le métro où elle faisait des signes discrets à ses protégés, tout cela avec un tel enthousiasme qu'ils en oubliaient d'être fatigués à la fin de la journée. Le lendemain, ils partaient vers la mer, s'arrêtaient manger à une terrasse ou alors exploraient les vieilles rues de Bruges ou de Gand et rentraient tôt se reposer. Jean-Noël partageait leur repas du soir. Plus tard, dans leur chambre, ils commentaient l'agrément de sa présence. Autrefois, Robert l'avait trouvé bourgeois, poseur ; il s'amusait à ironiser sur sa collection de tableaux primitifs et se passait aisément de sa présence à leurs soupers de famille. Marion s'était demandé ce que Clara trouvait à ce fonctionnaire de luxe davantage préoccupé à gravir les échelons dans les organismes internationaux qu'à se soucier des répercussions de leurs politiques. Voici qu'elle commençait à comprendre en quoi sa nièce avait été attirée par cet errant qui, autrefois, la laissait souvent aussi seule qu'une femme de marin. Sa culture faisait de lui un causeur intéressant, la maturité l'avait rendu plus attentif à ses interlocuteurs, moins centré sur ses propres passions ; il savait choisir les anecdotes de voyage qui amuseraient ses invités sans les lasser. Elle avait remarqué avec plaisir l'oreille qu'il prêtait à Clara, au compte rendu de ses activités, à ses projets, elle avait aimé son sourire et son regard, comme s'il était enfin devenu — redevenu — sensible au charme de sa femme et à l'ardeur qu'elle déployait dans ses actions. Était-ce un retour à leurs premières années ?

« À Montréal, avait mentionné Robert, il y a des indigents dans les stations de métro, des clochards sans toit, des immigrants illégaux dans la misère. Malheureusement, tu trouveras des défis partout.

— Je sais, avait répliqué leur nièce. Mais il y a de tels besoins ici — Bruxelles est une ville de transit —, que j'ai de quoi m'occuper pendant des décennies. Et puis, vous l'avez compris, j'ai une motivation supplémentaire auprès des Roms, une promesse d'honneur à remplir. »

Il était évident qu'à l'avenir, les décisions de Clara ne dépendraient plus de son mari. Il n'était pas garanti qu'elle rentrerait à Montréal avec lui à la fin de son contrat. Quand elle s'attarde aux nouvelles activités de sa nièce, Marion se sent mère-poule à la pensée d'une tâche tellement vaste et exigeante. Clara a un côté fébrile, fougueux. S'accroche-t-elle à une raison de vivre ? Ne risque-t-elle pas de connaître des désillusions à la suite d'échecs inévitables ? Y laissera-t-elle sa santé ? Malgré ses inquiétudes, Marion est fière, elle ressent le profond bien-être de la mère dont l'enfant a réussi à circonvenir ou à vaincre les obstacles, a su faire appel à toutes ses ressources, celles qui l'entourent et celles qui sont en elle, est parvenue, enfin, à son plein accomplissement. Elle n'est pas sûre que ce soit le cas de ses propres enfants.

Sophie donne l'impression d'être heureuse, mais il semble à Marion qu'il lui arrive trop souvent de fuir dans les excursions du Club Aventure plutôt que de poursuivre des études de musique, ses premières amours. Elle avait opté pour l'enseignement des mathématiques, n'en éprouvait-elle aucun regret ? Quant à Simon, sa troisième union est-elle une étape temporaire dans sa course aux chimères ou, maintenant qu'il a deux enfants, parviendra-t-il à assumer la responsabilité de la vie à deux ?

Au fil de ses réflexions, Marion a pelé les pommes de terre, qui attendent sagement dans leur marmite que soit allumé le feu; elle a touillé les laitues, mis le couvert. Elle regarde l'heure, fronce les sourcils. «Que je suis bête! Ils ont tous deux leur téléphone cellulaire. Robert a dû se rendre chez Oakes ou même plus loin afin de trouver le vin approprié, et ça m'étonnerait qu'il résiste au plaisir d'acheter un gâteau. La circulation est lente à cette heure-ci. Si l'avion avait un retard important, Sophie m'aurait avertie.» Alors qu'elle a tendance à plaindre les «jeunes» qui ne peuvent plus se passer de leur prothèse à demeure (et la solitude? la liberté?), elle est reconnaissante à la technologie qui, d'un mouvement des doigts, la relie à Robert ou à Sophie. Mais elle ne veut pas passer pour une vieille enquiquineuse, même à ses propres yeux, et les déranger sans motif valable.

À la mort de son père, Marion était jeune encore. Les soins aux enfants, l'assistance à sa mère dans l'épreuve, avaient tempéré son chagrin et maintenu sa confiance dans la force du cycle de la vie. Le cancer de Mirka lui avait révélé la fragilité d'un lien qu'elle avait cru éternel. Sa sœur, sa rivale et complice, son négatif et son miroir, l'objet de sa jalousie et sa protégée, Mirka exubérante et secrète, l'abandonnait à sa propre mortalité. Mamichou, vieillie et rongée par l'inquiétude que lui causait la maladie de Mirka, l'avait précédée de quelques mois, soulagée, avait-elle avoué, de ne pas connaître la douleur de survivre à sa fille: «Les enfants qui perdent leurs parents deviennent orphelins, mais le parent qui voit son enfant partir, il n'y a pas de mot pour le nommer.»

Depuis, Marion a compté d'autres morts, des tantes et des oncles, sa belle-sœur, le meilleur ami de Robert, un chapelet d'anciens collègues, Claudine frappée sept ans après Mirka. Quant aux amis qui demeurent, on se surveille, on prend des nouvelles, on s'encourage, on se souhaite la santé et le reste par surcroît.

Ici, en cet éden éphémère où les vieux oiseaux frileux fuient l'hiver, où les ambulances sillonnent les rues, Marion observe ses voisins qui, un à un, ralentissent le pas, sortent de moins en moins, évitent les escaliers, se chauffent au soleil devant le pas de leur porte plus souvent qu'ils ne partent à la plage et qui, l'année suivante, ne reviennent pas, laissent la maison vide : ils choisissent de rester là-bas, près des enfants, ils ne bougent plus. Puis la fille ou le fils descend disposer de la maison et de son contenu.

Depuis surtout qu'elle a failli perdre Robert, sans qui elle ne conçoit pas persister à vivre, depuis qu'elle surveille l'élasticité de son pas et le timbre de sa voix, qu'elle reste à l'affût de chaque faiblesse, depuis qu'elle-même s'essouffle à un rien et s'écrase de lassitude le soir, Marion est devenue profondément consciente de la fragilité qui l'entoure. Elle n'en est pas obsédée, elle continue à s'activer, à cuisiner, à lire, à ranger, à téléphoner et à écrire à leurs amis, à se balader et à nager. Simplement, il suffit d'un rien, d'une mauvaise nouvelle, de la décision de Robert de rester à la maison plutôt que de jouer au golf, d'un retard inexpliqué, pour que s'éveille la conscience aiguë de leur vulnérabilité. Elle l'exprime rarement, mais le souci est toujours là, en tapinois. Aussi doit-elle se convaincre que si ni Sophie ni Robert ne sont arrivés, il y a une raison plausible, un délai au carrousel à bagages, un détour par la pâtisserie.

Enfin! Marion entend le ronronnement d'une voiture, sort sur le pas de la porte. Ses retardataires arrivent en même temps, s'embrassent. Quelques tâtonnements avant de répartir les valises, les sacs, la boîte blanche entourée d'un ruban mauve que Clara porte avec précaution.

«Oncle Robert, toujours gourmand! Quelle surprise nous réserves-tu pour le dessert?

— Tu l'as dit, c'est une surprise. Il y a un jeune Français qui s'est établi dans le quartier... pas facile de résister à ses feuilletés... J'ai déniché aussi un Bourgogne qui ne devrait pas être piqué des vers pour le bœuf en daube, et un petit Mumm de la vallée de Napa...

— Oh maman!, s'exclame Sophie, tu as tout préparé, je t'avais dit de m'attendre.

— Bah, tu feras la vaisselle avec Robert.

— Ah non, c'est moi.

— Ah non, Clara, pas toi. Demain, si tu veux. Ce soir t'es de la visite.»

Clara envoie promener ses souliers, enfile un corsage léger de couleur claire. «Ce qu'il faisait *frette* par *che* nous! Ce que je me trouve bien de passer une semaine au soleil!» Elle poursuit sa conversation avec Sophie, les emporte tous les trois dans le tourbillon de ses récits: les ailes de l'avion qu'il a fallu déglacer lors de l'escale à Détroit, Liane qui, en juin, partira au Pérou pour l'UNICEF («J'ai bien essayé de l'entraîner dans mes projets à Bruxelles, on aurait besoin de jeunes talents, mais je la comprends, elle veut mener sa propre barque»), le repas de Noël dans la famille de son mari («Très sympa... Je les aime bien, sauf qu'on ne les voit pas souvent»), Jean-Noël qui attend son vol à Dorval en ce moment, il a une réunion à préparer pour le 3 janvier.

«Et j'ai une grande, une bonne nouvelle à vous annoncer.

— Alors on s'installe dans le *lanai*, devant le jardin, avec un apéro…

— Je raconte d'abord… Figurez-vous que, enfin! enfin! enfin! les Tsiganes vont avoir leur mémorial à Berlin, le fameux projet dont je vous avais parlé et qui traîne depuis des années… Il est temps, après 60… C'est pas la peine de compter. Le coup d'envoi vient d'être donné, l'inauguration est prévue pour l'été. Les Roms/Tsiganes ont fini par s'entendre! Le mot *Tsigane* va paraître, mais dans le cadre d'une citation. Tout le monde est satisfait. Attendez, je vais chercher l'article du *Monde*, j'ai fait un agrandissement du monument proposé, je vais l'encadrer et le mettre au-dessus de mon bureau. L'architecte est israélien, ça me plaît. Je critique parfois son gouvernement, mais je suis rassu-rée que des individus fassent tomber les murs.

«Regardez, je crois que ça sera beau. Une vasque d'eau sombre, un "petit lac" qui représente le trou où les victimes ont disparu. Au centre de la pièce d'eau, un triangle de granit. Dessus, une fleur qui sera renouvelée tous les jours. De là, le son d'un violon s'élèvera: quel-le belle pensée! La musique, c'est l'âme des Tsiganes, c'est leurs larmes. Le nom des camps d'extermination sera inscrit autour. Si vous saviez comme le projet me tenait à cœur… Ce n'est pas une tombe, mais c'est un lieu où, enfin, le martyre de ma grand-mère, de mon grand-oncle, de mes cousins, de mon grand-père sera reconnu. Maman serait heureuse… »

Sophie lui prend la main, ils se taisent tous les quatre, songeurs. L'espace de quelques secondes flotte autour d'eux l'ombre de Mirka, l'enfant arrivée en terre d'Amérique dans un vaisseau de misère, qui emportait avec elle ses angoisses et ses désillusions, mais aussi son éternel désir de liberté. Elle apportait un souffle venu de loin, du pays sans frontières de ses aïeux. Clara secoue la tête, sourit doucement.

« Je vous annonce une nouvelle, et j'ai une proposition à vous faire. Si tout se déroule comme prévu, je me promets d'être à l'inauguration. Qui est prêt à m'accompagner ? Tante Marion, oncle Robert, vous semblez en forme… Sophie, peux-tu délaisser le Club Aventure un été ?

— Moi, oui… parce que… Moi aussi j'ai une nouvelle, j'attendais ton arrivée…

— T'as un *chum* à nous présenter ?

— Non, pas vraiment… Oh ! on sait jamais. Je me suis remise au violoncelle depuis quelque temps. À la chorale, j'ai rencontré un gars qui joue de l'alto avec des amis, un garçon, une fille, un trio, quoi. Ils ont déjà été quatre, ils ont perdu leur violoncelliste, ils sont intéressés à former leur quatuor à nouveau. Entre nous, pour l'agrément. De toute façon, les amateurs de musique classique deviennent une minorité… On a fait quelques essais, résultat harmonieux. L'escalade et la plongée sous-marine, je commence à trouver ça essoufflant. Alors mes prochaines vacances vont être consacrées à la musique… Mais je prendrais bien deux ou trois semaines pour faire un saut en Europe.

— Que c'est tentant ! dit Marion, les mains sur les

joues. Berlin! Ce serait une découverte. Alors, Robert, te sens-tu d'équerre?

— Aujourd'hui je trouve les envolées longues pour mon vieux cœur…

— Escale à Bruxelles tout confort…

— Je sais, Clara, tu as été une hôtesse hors pair. Alors, pourquoi pas un projet de jeunesse? J'ai toujours rêvé de voir Berlin, surtout depuis que le mur est tombé. Et puis… on doit bien ça à Mirka.

— À Marie-Lou et aux autres… poursuit Marion. Maïs sais-tu à quelle date aura lieu l'inauguration du mémorial?

— Pas précisément. Bien sûr, dans ce genre de projet, des retards sont possibles. Disons que je suis le déroulement des événements et que je vous tiens au courant. Nous prendrons nos décisions en conséquence. Une fois là-bas, rien ne vous empêcherait de faire un détour par Dresde, ou…

— Que je retournerais à Prague!

— Où vit ma cousine Milena… Qui vous promènerait dans sa ville…

— C'est vrai, tu es en contact avec la famille de ton père…

— Je n'ai jamais regretté d'avoir suivi le conseil de maman quand elle m'encourageait à retourner aux sources de mon héritage tchèque. C'est l'autre part de mon arbre généalogique. Oh, on ne recrée pas un esprit de famille instantané à quarante ans, mais j'ai un peu l'impression de mieux connaître papa… Et puis, Milena et moi, on s'est tout de suite bien entendues. Elle est traductrice comme moi… comme je l'étais. Elle est venue à Bruxelles l'automne dernier, on s'est amusées comme deux ados. Si c'est impossible pour moi de vous suivre, je vous remettrai entre bonnes mains.

— Je pense qu'avec toutes les émotions, ce serait l'heure de l'apéro... On ne va pas attendre au jour de l'An pour déboucher le champagne. On dirait que je l'avais prévu, j'avais déjà mis la bouteille au froid. En attendant d'être à Berlin... »

On entend un plouc! Sophie chantonne en balançant son verre vide sur l'air de *Nous irons à Paris, tous les deux*, de l'opéra Manon:

« Nous irons à Berlin, tous les quatre, tous les quatre, nous iron-ons à Berlin... »

Robert remplit les verres et ils trinquent en se regardant dans les yeux:

« À Berlin!

— À Berlin! »

Ottawa, avril 2009

TABLE DES MATIÈRES

1990-1991 9
1940..14
1945..45
1945-1946 55
1950-1953 70
1960-1965 86
1990 : Clara..105
1990..143
8 août 2006 : Clara à Marion et Robert 188
Décembre 2008 : Naples, Floride.......................199

Achevé d'imprimer
en septembre deux mille dix sur les presses
de l'imprimerie Gauvin, Gatineau (Québec).